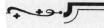

メディアワークス文庫

ぼくらが死神に祈る日

川崎七音

目　次

一章　モーンガータのささやき

僕が殺した姉、田越葉月《たごえはづき》の葬儀には、予想していたよりもずっと多くの人が参列した。僕と両親だけでは受付の手が回らなくなり、途中からは、親戚の何人かにも手伝ってもらうことになった。

通っていた高校の同級生、クラスメイト、後輩、それから数人の教師と、所属していた生徒会の役員生徒たち。加えて姉さんには、学校外にも知り合いが多くいたらしく、そのひとたちは学校関係者をすべて合わせても足りないほどの数になった。ほとんど面識はなかったが、やがて現れたひとりの男性には、唯一見覚えがあった。県警署長の平《たいら》さんだった。

「このたびはまことに、ご愁傷様です」

平さんのお辞儀に両親が応じて、同じように頭を下げる。僕を逮捕しにきたのだろうか。彼の腰には手錠が隠されているのか。そうであるなら喜んで両手を差し出すところだが、そんなことにはならなかった。

見覚えがあるのは、新聞で見たからだった。一度目は姉さんが痴漢を現行犯で捕まえたとき。二度目は川で溺れた小学生の男子を救命したとき。姉さんが感謝状を手渡されるところの写真が、地元の新聞に掲載された。二回とも、感謝状を渡していたのがこのひとだ。

　県警署長の平さんが僕のほうを向き、言ってきた。

「怪我《けが》は？　まだ痛むかい？」

「大丈夫です。痛くありません」

「自分を責めてはいけない」

「はい」

「不幸が重なった。あれは防ぎようがなかった」

「はい」

　純粋に、悪意なく慰めようとしてくれているのだとわかった。平さんに限らず、誰も僕を咎《とが》めない。車に轢《ひ》かれたとき、亡くなる姉さんを目の前で見ていたのに、何も聞いてこない。権利もないのに怒りがわいてしまう。体が熱くなる。噴き出た汗に染みたのか、ガーゼの奥で、えぐれた頬の傷がずきずきと痛みだした。どうして僕が生きているのだろう。

　告別式の最中は、あちこちからすすり泣きが聞こえてきた。途中からは湿度が高くなったような気がした。涙が流れたときに鼻に届く、独特の匂いもした。

　葬儀の最中、背中から視線を浴びている気がして、そっと息を止める。昔からの癖だった。存在を消したいとき、いつのまにか、呼吸をやめている。派手な活躍をする姉と比較されるのが嫌で、身についた習慣。姉が亡くなってもなお、体に染みついている。それで体が消えるわけでもないのに、やめられない。

出棺のため、姉さんの棺《ひつぎ》を霊柩車《れいきゅうしゃ》の待つ会場外に運び出す。数人の親戚と、父さん、そして僕で行った。まわりの大人と比べると僕の身長はやや小さく、担ぎだすとき、棺の重さをほとんど感じることができなかった。棺の後ろを喪主である母さんが、遺影を持って続いた。

霊柩車に乗せ終えたとき、母さんの姿が消えた。持っていたはずの遺影はスタッフに預けられていた。見回すと、近くのトイレに向かう後ろ姿が見えた。僕よりも早く気づいた父さんが追いかけていった。

参列者が霊柩車のまわりに集まり始める。まだ異変には気づいていない。スタッフに預けられた遺影に写る、姉さんの写真と目が合う。市が行った、小学生の学習支援のボランティアに参加したときの写真だ。その姉さんの笑顔に、背中を押されるというより、叩《たた》かれた気持ちになって、両親のあとを追った。

建物裏の屋外トイレの前で、母さんは崩れ落ちて泣いていた。声が漏れ聞こえないよう、必死に手で口元をおさえていた。父さんが母さんの背中に手をあて、何かつぶやく。母さんの泣く声がそれでさらに強くなった。

「なんで葉月なの。どうして、あの子じゃなくちゃいけなかったの」

「喪主の挨拶がまだ残ってる。もう少し、頑張れるか」

二人の会話は絶妙に嚙《か》み合《あ》っていない。母さんは葉月、と呼び続けている。助けを求めるように、父さんがあたりを見回す。そこでようやく、僕と目が合い、ほっとするようにため息をついた。たとえば死んだのが僕で、ここに代わりにいたのが姉さんだったら、父さんはきっと、もっと安心した顔を見せるだろうと思った。

「作楽《さくら》、代わりを頼めるか。参列者の方々を待たせるのは悪い」

母さんの上着のポケットに手を入れて、父さんが小さなメモをよこしてくる。挨拶文が書かれていた。形式的な言葉が、生気のない淡白な字で並んでいる。

「短すぎるから、途中で葉月の話をしてくれ。思い出話とか、そういうのだ」

「思い出話？」

「葉月と過ごした最近の出来事でも、なんでもいい」

姉さんとの思い出。一緒に過ごした記憶。何かあっただろうか。すぐに出てこない。今年、同じ高校に通うようになってからは、特に話さなくなった。なんでもできる姉さんと比べられるのが嫌で、劣等感から身を守るために、あのひとを避けてきた。

いくら思い出そうとしても、人前で聞かせられるような、姉さんとの温かいエピソードは見つからなかった。失敗する光景しか、浮かばなかった。

「大丈夫」強引に立ち上がって、母さんが言う。「やれる。戻りましょう」

父さんは母さんの肩に手を置いたままだった。姉さんだったらこんなとき、うまくやれるのだろう。両親をきちんと安心させて、皆のところに戻るのだろう。

結局、母さんは僕の手からメモを取り返し、行ってしまった。

母さんは言葉通り、出棺の挨拶を無事に終えた。さっきまでうずくまり、泣いていた人物と同じようには、とても思えなかった。それは僕が母さんに強いてしまった負担の証《あかし》だった。家族のために動くべきだったのに、僕は自分が失敗したときのことを想像して、怖気《おじけ》づいてしまった。

空を見ると残酷なくらい青かった。昨日まではずっと雨だった。何かの遅れを取り戻そうとするみたいに、あちこちで蟬《せみ》が鳴いている。無害な薄い雲が、風に運ばれ流れてくる。ここにいる自分たちを置き去りにして、世界中の人々が幸せでいるような気がした。

霊柩車が出ていく先の道路に、大きな水たまりが見えた。そのときになってようやく、僕は姉さんと過ごした時間をひとつ、思い出した。

†

入試が終わり、志望校である受験会場から出てすぐ、買い物帰りの姉さんに捕まった。

合格すれば先輩になる予定でもある姉さんは、僕を学校に引き返させ、校門を出る受験生たちの流れに逆らい、なぜか校舎裏に連れてきた。抗議するが、黙ってついてくるように言われた。

校舎裏の地面はぬかるみ、いくつもの水たまりができていた。前にいる姉さんは器用に乾いている部分だけを見つけ、苦もなく林の奥へ進んでしまう。ジーンズに泥が跳ねてつくこともなければ、靴が汚れている様子もない。反対に自分の足元を見ると、すでにスニーカーが泥まみれになっていた。歩き方だけでこうも違いが出る。

つま先からは泥が染みこみ、靴下を濡《ぬ》らしていた。二月の泥は最悪だった。氷でも入れて歩かされている気分。そのうち指の感覚がなくなるだろうと思った。

遅れをとる僕に気づき、姉さんが振り返って言ってきた。

「ほら、作楽、早く。すぐそこだから」

「ここに何があるの。軟らかいベッドと温かい毛布がないなら、帰りたいんだけど」

風が頭上の木々を揺らし、葉をつけていない枝が、かちゃかちゃ、と音を立てていた。わずかに射《さ》していた陽も雲で隠れ始めていた。いまごろは受験のストレスから解放されて、ベッドに寝転び、毛布にくるまり、心行くまでレンタル店で借りていた『バットマン』シリーズの映画を観《み》ているはずだった。

雑木林を抜け、やがて開けた空間に出た。右側一帯が斜面になっていて、ずっと下った先に校庭が見えた。見晴らしが良《い》いのと、地面が乾いていること以外、これといった魅力はなかった。

「ここは、願いを叶《かな》えてくれるところ」

姉さんが指した空間の一角に、地面から突き出している岩が見えた。近づくと、それが岩ではないことがわかった。建造物の残骸の一部だった。周囲が、崩れた外壁で四角に縁どられている。何かが建っていたのだ。

目の前まで近寄ると、地面に埋まるようにして設置されている、一枚の銅板を見つけた。建物の名前を記す文字がとびこんでくる。『教会礼拝堂跡地』。下に続く説明文は錆《さ》びて腐食し、ほとんど読めなくなっていた。かろうじて拾えたのは、『スウェーデンから来訪した宣教師の……』という文の一部だけ。

「こんなものがなんで高校にあるの？」僕は訊《き》いた。

「校舎が建てられる前は、この土地に修道院があったんだよ。取り壊されて、神学校になったけど、そのあと統廃合でいまの学校になったの」

「知らなかった」

「志望校の歴史くらい押さえておいたほうがいいよ」

「こっちは昨日まで世界の歴史を押さえるのに必死だったんだよ」

受験で疲れていることを暗に伝えてみたが、まだ帰る気はないようだった。逃げ出そうものなら、首根っこをつかみ引き戻してくるはずなので、あきらめた。

「神教のなごりは、いまの高校にはまったく残ってないけど、この場所だけは保存されてる。ここを知らなかったってことは、『教会跡地の神様』の噂《うわさ》も知らないよね」

「教会跡地の神様？」

姉さんは僕の腕を引いた。コートから手を出したくなかったので、不格好なまま、連れていかれた。

　僕たちは礼拝堂跡地の、敷地内《しきちない》に足を踏み入れた。荘厳さを感じさせるようなものは何もなかった。信者が座るための会衆席も、ステンドグラスも、神父が説教をする台も、その背中の壁にかかげられていたであろう十字架もない。寒さに焼かれて枯れてしまった花と、色素の抜けた雑草が生えているだけの荒れ地だ。だけどよく見ると、その雑草が踏み倒され、一本の道ができているのがわかる。道はまっすぐ敷地の奥へと進み、ある地点で途切れていた。

　そこに置かれていたのは、金属でできたお椀《わん》だった。膝の高さまである、巨大なお椀。表面が錆びついている。正体をつかめないでいると、姉さんが説明してきた。

「神社でいう、賽銭箱《さいせんばこ》みたいなものだよ。誰が置いたかは知らない。わたしが入学したときもすでにあった。教会のベルを逆さまに置くのって、宗教的にどうなのかなとは思うけど、でも、ここではこれが伝統になってる」

言われてようやく、そのお椀が巨大なベルだと気づいた。本来の向きからひっくり返され、先端を地面に埋められているのだ。

ベルのなかには、ぎっしりと物がつめこまれていた。テニスボール。使い込まれた野球のグローヴ。腕時計。水色のセーター。くまのぬいぐるみ。筆記用具も見える。ベルからあふれるように、周囲にも物が置かれていた。

「教会跡地の神様っていうのは、つまりそういうことか」

「作楽の受験が合格しますようにって祈りたかったから。ということで、ほら、おそなえしよう。何か大切なものを差し出して、祈るの」

合格祈願なら近所の神社で十分だと思ったが、文句を言って歯向かう時間も惜しかった。早く帰りたくて、とっとと終わらせたい一心だった。

「何をそなえればいいんだよ。受験票とか？」

「それはまずい。用務員さんが定期的に回収にくるの。それでバレる。ここ、校則では立ち入り禁止だから。万が一見つかったら、印象が良くない」

自分の身分を特定されないおそなえ物。何があるだろうと迷っているうち、しびれを切らした姉さんが、買い物袋からあるものを取り出した。金平糖の入った袋だった。姉さんの昔からの好物だ。

「そんな適当なものでいいのか」

「何かを差し出し、手放すことが大事なの」

姉さんが金平糖の袋を、ベルからあふれたおそなえ物の上に乗せる。誰かの願いを上書きしているような、変な後ろめたさを感じた。

横を見ると、姉さんが目を閉じ、手を合わせてすでに祈っていた。馬鹿らしかったので、祈る代わりに周囲を眺める。近くの木にリスが止まっているのが見えた。たぶん、金平糖はあのリスが袋をやぶって持っていくのだろう。もしかしたら姉さんのように、ここに食べ物をそなえるひともいるのかもしれない。冬眠を中断してでも、ここに待機する価値があるのだ。

視線を戻すと、姉さんが目を開けたところだった。満足したように、風変わりなお賽銭箱に背を向けて、歩きだす。

敷地内を出る瞬間、一度だけ大きな風が吹いた。妙に湿気を含んでいて、季節を無視した、生暖かい風だった。思わず立ち止まる。姉さんは速度をゆるめることなく、先に行ってしまう。いまの風に気づかなかったのか。

何気なく振り返り、そしてあることに気づく。

そなえたばかりの金平糖がベルから消えていた。

さっきの風が落としたかと思ったが、近くの地面には落ちていなかった。リスが持っていったのかもしれないとも考えたが、袋ごと、抱えていけるのか疑問だった。

姉さんはすでに敷地を出ていた。後を追う。いま吹いた風のことを尋ねたかった。消えた金平糖のことを報告したかった。口が開きかけて、結局やめた。黙っているうち、林を抜けた。

「一緒に登校できるといいね」

「しないよ」

「きっと合格するよ。大丈夫、最後にはうまくいくようにできている」

それは姉さんの口癖だった。最後にはうまくいくようにできている。僕はその言葉が嫌いだった。才能があるからそういうことが言える。できないやつの気持ちがわからないから、そんな言葉がつかえる。

二週間後、受験結果が発表された。僕は合格していた。姉さんは飛び跳ねて、泣き、最後には抱きしめてきた。

やがて春を迎え、高校生になった。袖を通した制服は少し大きかった。姉さんとは、たまに家を出る時間が重なれば、必ず一緒に登校する羽目になった。

七月になると姉さんが死んだ。

†

葬儀が一通り済み解散になったあと、帰宅途中で両親と別れ、僕は学校に向かった。日曜日だったので正門は閉められていたが、その横の通用門は開いていた。校舎には入らず裏手に回る。二月以来訪れていない、あの林が現れる。

木陰の下の、ぬかるんだ道を進む。器用に乾いた部分を見つけて歩くことは、今回もできなかった。靴があっという間に汚れる。とうとう制服のズボンにまで泥がついたところで、開けた空間に出た。日差しが強く照りつける、乾いた地面。教会跡地は変わらずそこにあった。

最近の、姉さんと過ごした数少ない記憶。思えばここで交わした会話が、今年のなかでは一番長かったかもしれない。家にいても、あれほどまともに話をすることはなかった。姉さんと二人でいるときの自分はいつも不機嫌で、だけどここでの記憶は、そのなかでも、まだ綺麗なほうだった。

教会跡地の敷地内に入る。原形をほとんどとどめていない、崩れかけた外壁が周囲を覆う。雑草がおいしげっているが、以前来たときと同様、かすかな獣道が延びている。季節を通して、定期的に何人かがここを訪れている。道の先にはあのときと同様、逆さまになったベルが半分、土に埋まっている。おそなえ物は片付けられていた。用務員が定期的に回収していくのだと、姉さんが言っていた。

そのほかには、どんな会話をしていただろう。思い出そうとしたところで、携帯が鳴った。確認すると、クラスメイトの高野《たかの》からだった。学校内の、唯一ともいっていい友人だ。今日の葬式にも来てくれていた。

「高野。どうした？」

「いや、ごめん。特に用事はないんだけど。葬式で話す機会なかったから」

「こっちこそ、話せなくてごめん。今日はきてくれてありがとう」

「いい葬式だった。すごいたくさん、ひとがいて」

「うん。寂しくはなかったと思う」

自分が死んで葬式が開かれたら、どんな景色になっていただろうか。姉さんほど交友関係が広いわけでも、誰かと常に関わってきたわけでも、信頼されているわけでもない。僕の存在感は、姉さんの百分の一にも満たないだろう。だから式場の広さも、きっと百分の一。両親のほかに、高野くらいは参列してくれるかもしれない。

「なあ高野」

「どうした」

「あの日、放課後に帰る前さ、高野が言ってくれてたよな。隣町がゲリラ豪雨だって。停電になるかもしれないって」

「……作楽」

「防ぎようがなかったって、励ましてくれるひともいたけどさ。そんなことないよな。

予期しようと思えばできた」

「違う。あれは誰だって……」

「何より僕が横断歩道を渡るとき、消えていた信号に気づけていれば」

先を続けようとしたところで、急にノイズが走った。高野が何か言っているが、砂嵐の音で聞き取れなくなってしまう。呼びかけるが返事はない。やがて、ざああああ、と、完全に砂嵐の音だけになり、最後には切れてしまった。

雑木林のなかにいるから電波が悪くなったのかもしれない。高野との会話が途切れ、急にひとりきりでいることを実感し、我に返る。どうしていつまでも、こんなところにいるのだろう。

教会跡地に背を向けて、歩き出した瞬間だった。

「ごめんね。携帯は嫌いなんだ」

自分以外、誰もいないはずの空間で声がした。

振り返ると、瓦《が》礫《れき》となっている外壁の一部に、ひとが腰かけていた。

麻色の生地に、いくつもの色のポケットがつぎはぎされたコート。底の厚い革靴を履き、その足元まで垂れる長い黒髪。

さっきまでそこにいなかった。近づいてくれば、足音くらいは聞こえるはずだ。外壁の上に腰かけるなんていう、派手なことをすれば、気づいていたはずだ。このひとはどこから現れたのか。どうやってそこに座ったのか。

「今日が葬儀だったみたいだね。おつかれさま。ところで知ってた？　最近は散骨方法が多様化していて、宇宙葬っていうのがあるみたいだよ。人工衛星に骨を乗せて宇宙に放りだすらしい。すごく怖いよね。ちょっとありえない」

いくつもの日々を過ごした友達みたいな態度だった。そのひとは手元の袋につまった金平糖をつかみ、口に放り込む。袋のなかの金平糖はすでに半分以上も減っていた。

「……あなた、誰ですか」

「名前？　モーンガータ。モーンガータ」

聞き慣れない名前。これまでの人生で、一度も耳を通ってこなかったような響きの単語。姉さんの知り合いか誰かだろうか。わからない。なんだろう、このちぐはぐな感じは。そもそも女性なのか、男性なのか。それすらもはっきりしない。年は三〇代。いや、二〇代。自信がない。断定しようとするたびに、正体があいまいになっていく。ピントが合わない。見ようとすると、常にぼやける。

気づけば周囲で響いていた蟬の鳴き声が、まったく聞こえなくなっていた。僕たちに気を遣い、息を潜めているように思えた。

「田越作楽。きみと取引にきた」

「取引？」

「そう。姉を失い、自分だけ生き残ったきみへのオファーだ」

　知っている。姉さんの死を知っている。その口調には悲しみのようなものは感じられない。少なくとも、姉さんを慕っていた人物ではない。

「予想外のことが起こるとひとは思考判断が鈍る。後悔先に立たず。たとえばきみがもっと早く、救急車を呼んでいれば結果は違ったかもしれない。向かってくる車に気づけていれば、姉が犠牲になることはなかったかもしれない。停電して消えた信号にもっと早く気づいていれば、目の前で家族が息を引き取る瞬間を見ずに済んだかもしれない。そんな後悔をすべて帳消しにして見せよう。きみには救われる資格がある」

　凛《りん》とした声。女性、あるいは、声変わりをする前の小学生男子のような声。

　肩幅は狭く、金平糖をつかむその手は大きい。唇は艶《つや》やかだが、鼻筋はよく通り、力強さがある。瞳は大きく眉は凛々《りり》しい。世界中の美しい男性や女性のパーツをつめこみ、歪《いびつ》になったような姿。

「あんた、本当に何者だ」

　モーンガータが外壁から飛び降りる。革靴で着地した先に水たまりがあり、ばしゃん、と汚い音が響いた。歩いてこちらに近づくたび、長い髪が揺れる。髪のなかに何かが埋め込まれているのか、たまに天井の明かりを反射するように、髪が光る。

「きみの願いを叶えよう。私にはその力がある」

「願い?」

「ただし対価として、きみからあるものをいただく。寿命だ。いくらいただくかは、望む結果の大きさと、叶えた際の周囲への影響力による」

「宗教の勧誘か。そんな人が校内に入っていいのか。教師に報告するぞ」

「わかるよ、信じられない。私だって金平糖がこんなに自分の口に合うことは最近まで知らなかった。具体的にいえば二月までこの味を知らなかった。きみが、きみたちが、私に教えてくれたんだ」

二月。金平糖。

今になって思い出す。去りかけたとき、ベルのなかから消えていた金平糖。そう、ここでは確かにおかしなことが起きていた。教会跡地の神様の噂。ありえない。

モーンガータは持っていた袋をかたむけ、残った金平糖をすべて口のなかに放り込んでしまう。その小さい口に、残っていた金平糖がすべて入るのは物理的にありえないはずだった。不可能を無視して、もごもごと口を動かし、砕き、咀嚼《そしゃく》していく。

「実感し、体感しないと、事実にはならない。だから事実を見せよう。というより、取引を持ちかける際の義務みたいなものだ。注意事項の提示だね」

モーンガータは空になった袋を地面に放る。その身勝手さを指摘しようとしたが、袋は気づけば消えてしまっていた。いま確かに放ったはずなのに。

消えた袋に気を取られたそのとき、モーンガータが両手を広げた。抱きつかれるのかと思ったが、そうではなかった。

わずかな夕メをつくり。

それから、ぱん、と手を叩いて鳴らした。

瞬きをした一瞬後、

「え？」

僕はどこかの住宅地に移動していた。

視界が、体験したことのない速度で、がらりと変わっていた。

朽ち果てた外壁も、まわりを覆う木々も、足元のぬかるんだ地面や雑草も、どこにもなかった。踏みしめているアスファルトは硬く、遮られることなく日が差してくる。高さの異なる家々。電柱と、延びる電線。

「……なんだこれ。どこだ、ここ」

「それはいまはどうでもいい」真横でモーンガータが言った。その体から、どこか懐かしさを感じさせる、温かい香りがした。いとこの赤ん坊を抱っこしたとき、これと同じ匂いを嗅いだことがあった。

モーンガータが道の先を指さす。踏切《ふみきり》があり、車が一台、ちょうどこちらに渡ろうとしていた。

「あの車が三秒後に止まる」

宣言した直後、車が見えない壁にぶつかったみたいに、急に停車した。同時に踏切が鳴り、遮断機が下り始める。頭に浮かんだのは食虫植物のイメージだった。開いた口のなかに止まったハエを、たたんで閉じ込め、捕食する植物。

「車ごと電車に轢かれて運転手は死ぬ」

運転席の男性が下を向き、必死に何か操作をしている。エンジンをかけようとしているのだとわかった。やがてあきらめ、シートベルトを外す。

モーンガータは淡々と説明を続ける。

「彼は弟の借金の連帯保証人となり、妻との仲もずっと子宝に恵まれず冷え切り、離婚寸前までいっていた。ああいうのを世間的には、どこにでもいる普通の会社員というのだろうね」

男性がドアを開けようとする。しかし出てこない。助手席のほうに移動し、ドアをまた開けようとする。そちらのドアも、なぜか開かない。

「彼は借金を帳消しにし、巨額の富を得て子宝にも恵まれた。ナオミだかナオコだとかいう女の子で、来年から小学校にも通う予定だったかな。とにかく、それらはすべて私との取引で手に入れたものだ。彼は今日、残された寿命を使い果たす」

「何言って……」

よそ見をしかけた瞬間、男がこちらを向いた。僕の横にいるモーンガータに気づき、悟ったように、抵抗をやめた。距離があるはずなのに、男の青ざめた顔がなぜかはっきりと見えた。口を開き、何かつぶやいた。すべて言い終える前に、その姿が電車にかき消された。

激しい衝突音。圧倒的な力で、巨大な金属の塊を強引にひきずる光景。気づけば息ができなくなっていた。呼吸をする方法を脳が忘れていた。男性の体に意識が乗り移ったみたいで、二度と息ができなくなるのではないかと思った。

近くで目撃していたのか、女性の甲高い悲鳴が聞こえてくる。それともこれは車輪の音だろうか。

「ああ、悲鳴がやかましい。もういいだろ」

モーンガータは再び、両手を広げ、ぱん、と叩く。

一瞬後には、静寂の落ちる教会跡地に戻ってきていた。自分の足に力が入らなくなっていることに気づき、よろめきながら、近くの外壁にもたれかかる。

何が起きた。僕は何を見た。男性が死んだ。事故で。本当に事故？

こいつは予言した。ぜんぶ知っていた。僕に見せると言って、それから本当に見せてきた。空間を飛ばし、移動させて。人間には、できないことをして。

「……教会跡地の神様。ここで噂を聞いた。お前が、それなのか」

「なんと呼ぼうが勝手だ。好きに解釈すればいい。死神でも、悪魔でも、天使でも、神様でも、なんとでも」

「本当にぜんぶ、叶えられるのか」

何を言っているのかと思った。自分の発言が信じられなかった。モーンガータの言葉を鵜《う》呑みにし始めている。止めようとする僕の意志に反して、会話は進む。

「きみがどれだけ寿命を持っているかによる。単純な計算だ。五〇〇円あれば金平糖は買える。でも車は買えない」

「僕はどこまで叶えることができる」

人間ではない生き物が笑った。ほんの一瞬のしぐさ。でも僕は、その笑顔を見て確信した。それこそが本題だったのだと。

「たとえば、死んだ姉を生き返らせることならできる」

「姉さんを……」

「ただしきみの寿命を限界まで徴収した場合だ。この取引を交わせば、残りの寿命は約四か月になる。四か月後の一一月一六日。そこがきみの命日だ」

生き返らせる。姉さんを生き返らせる。あの事故を、なかったことにできる。実現できるはずのない願い。だけどこいつなら。空間を好きに移動するような芸当ができる、人間ではないこの生き物にならら。

　事故のときの記憶がめぐる。車体と塀に挟まれた姉。僕を落ち着かせようと笑顔を見せ、そのあと泣き出した姉。怯えて、死にたくないと最後に言い残し、懇願してきた姉。誰も知らない姉さんの最後。

「言っておくと、きみに取引を持ちかけるのは一度きりだ。私も暇じゃない」

　誰かに会うたび言われた。きみのせいじゃない。責めてはいけない。だけど知っている。本当は誰もが思っている。口には出さないだけで、願っている。姉さんのほうが助かっていればよかったと。死ぬのは僕のほうであるべきだったと。ひとの命には重さがあって、それは平等ではない。姉さんの命は、僕よりもずっと重かった。

　死ぬのが怖くないわけじゃない。だけどこのまま生き続けていくことのほうが、僕にはもう、耐えられない。この命を使える機会が、もしあるのなら。

「僕は姉さんを生き返らせる」

「じゃあ決まり」

　うなずいて、モーンガータが近づいてくる。革靴で地面を踏み、泥を跳ねさせる音が、胸の奥まで響いてくる。僕は願いの対価に自分の寿命を差し出す。最期には無残な死を迎えるかもしれない。電車に轢き殺された、あの運転手のように。それでも決意は揺らがない。この現実を変えられるのなら、いくらでも祈る。

「何をすればいい」

「そこに座ってるだけでいい」

モーンガータが目の前に立ち、右手をかざしてくる。骨ばった、ごつごつとした大きな手。そっと、頭にその手が乗る。髪の毛がこすれる小さな音が聞こえたかと思うと、頭のなかに潜り込んでくるのがわかった。

戸惑う僕を、モーンガータは楽しそうに笑う。頭のなかに潜り込んだ手に触れようとするが、手頸《てくび》から先が額のなかに入っていて、僕はそれにまったく干渉できない。痛みはなく、ただでたらめな違和感に襲われるだけだった。

突っ込まれた手が引き抜かれる。見ると、何か黒い塊を握っていた。水気を帯びた、妙な物体。一部は丸く、一部は尖《とが》っている。あれが僕の魂の一部なのか。

日差しに反射して、塊が妖しく光る。宇宙を眺めているような奥行きと、色。モーンガータの髪がまさに同じ色をしていることに気づく。

モーンガータは手に持っているそれをひとしきり眺めて堪能《たんのう》したあと、躊躇《ちゅうちょ》せず口に含んでしまった。ごくり、と喉の鳴る音がここまで聞こえてきた。コートの奥、その体が光り、うっすらと透ける。血管に沿うように、光がモーンガータの手に流れ込んでいくのがわかる。やがて、両手を皿の形にすると、体にとどまっていた光が漏れて、皿のなかに何かの物体が生まれた。

「取引は成立。これは、契約書みたいなものだ。首にでもかけておくといい」

差し出された物体は、ネックレスのような形をしていた。チェーンの先には木彫りの十字架がある。ただしストラップの位置は十字架の先端に取り付けられていて、そのままにすると、十字架は逆さに吊《つ》られる形になっている。逆さの十字架。

「契約書は人によっていろいろな形を取るけど、きみのはなんだか、少しベタなものになった。ふ、逆さ十字架って……」

鼻で笑われた。よくわからないが、バカにされていることだけは理解した。死神は僕の心を笑った。

「じゃ、今日はこれで。また様子を見にくるよ」

モーンガータが両手を叩く。ぱん、と響いて、姿が消える。教会跡地にひとり、取り残される。

あまりにもあっけなく終わり、急にいま起きたすべてのことが、嘘《うそ》に思えてきた。何か壮大な、意図のわからない詐欺にでもあったのではないかと。

風がひとつ吹いて、すぐにやんだ。そのとき、ポケットの携帯が振動しはじめた。高野かと思い、取り出す。表示された相手を確認したところで、手がしびれ、思わず携帯を落としてしまった。

『田越葉月』。着信は姉さんからだった。

†

「ゲリラ豪雨らしい」

放課後になっても席を立たない高野がそう言った。窓の外、彼の指さした方角を見ると、住宅街の先に広がる空が、どんよりと黒く濁っていた。

「あっちに家があるから、去るまで今日は待つ」

「傘、持ってきてないのか」

「買うのもバカらしい。停電も起きてるってさ。ここにも影響、くるかもな」

「なら僕は先に帰るよ」

高野は窓の外を眺めたまま、じゃあな、と手だけ振った。もう一分、いや、もう十秒でも長く高野と会話をしていたら、結果は変わっていたかもしれない。

昇降口を目指していたところで、作楽、と呼ばれた。姉さんの声は遠くにいてもよく通った。聞こえないふりをして進んだが、これが悪手になって、姉さんはさらに僕の名前を叫んだ。周囲にいる生徒、全員が立ち止まった。何人かが僕に気づいて、とうとう視線を浴びる。癖で息を止める。存在を消そうとするが、もちろん注目は収まらない。

呼ばれてるよ、と知らない女子がくすくすと笑いながら言ってきた。

屈辱と呼ぶには派手だけど、怒りと表現するには足りない、そんな感情がうずまく。何か言葉で姉さんを傷つけたい気持ちにかられたが、結局何も思いつかなかった。

「……なんか用？」

「そんなに怒らないで。あのさ、今日急に家庭教師のバイトのシフトが入っちゃったの。お母さんに頼まれた夕飯用の買い物、代わってくれないかな？」

カレーをつくるみたい、とメモを見ながら姉さんが答えた。そうしていると、「田越先輩」と、誰かが近付いてきた。男女の二人組。何か相談ごとがあるらしかった。

姉さんが彼らに気を取られているうちに、靴を履き替えて外に出た。作楽、とまた呼ばれたが、今度こそ足を止めなかった。

校門を出て坂を下る。高台につくられた高校なので、登校中の朝は地獄だが、帰りの足取りは軽い。下った先を直進する。家に帰るなら、左に折れるべきだが、途中でスーパーによらないといけない。

交差点にさしかかったところで、背中からまた姉さんの声がした。ぱたん、ぱたん、ぱたん、と靴が地面を叩き、はずむ音が近づいてくる。

「作楽、メモっ」

そういえばもらい忘れていた。自分の失敗。本来なら、一〇分後には忘れてしまえるような小さなミスなのに、姉さんに指摘されると、僕のなかではとんでもなく大きな失敗で、取り返しのつかない恥のように思えてきてしまった。

「カレーだろ、覚えてるよ」

思わず振り返り、叫び返した。メモなんて必要ない。すべて覚えている。そういう言い訳を用意することに決めた。

「作楽！」

そのとき、ひときわ大きく姉さんが叫んだ。僕を呼んだのではないとわかった。我慢の限界が達して、怒った声でもなかった。それは理性を感じさせない、単純な悲鳴だった。その叫び声で、ようやく自分の渡る歩道の信号機が点灯していないことに気づいた。赤にも青にもなっていない。消えている。停電。

『ゲリラ豪雨らしい』

交差点のほうで激しい衝突音がした。信号が消え、秩序を急に失った車同士が、混乱し、ぶつかっていた。玉突きで他の車も追突する。

その事故を避けようと、一台の灰色のセダンが急に向きを変え、こちらに突っ込んできた。逃げなくてはいけない。前に進んで渡り切るか、後ろに戻るかの判断が求められた。後ろには姉さんがいた。僕が渡りきろうとしたのは、ただそれだけの理由だった。そんなくだらない判断のせいで、逃げるのが、遅れた。

衝撃がやってくる。しかし車にぶつかったわけではなかった。誰かに背中を突き飛ばされた。つんのめり、バランスを崩す。転んだ拍子に、そのまま顔を派手にうちつけた。頬に焼けるような痛みを感じた。

地面に倒れていることがひどくかっこ悪く、非常識なことのように思えて、すぐに立ち上がった。視界がぐらついた。ようやくピントが合った視線の先に、民家の塀に激突したセダンが見えた。セダンの近くに、ある物が落ちているのが目に入る。姉さんの靴だった。

音が遠かった。耳鳴りがするだけだった。ゆっくり近寄ると、壁と車の間に挟まった姉さんを見つけた。バンパーの部分にその上半身が倒れこんでいる。右腕がわずかに動き、うめき声をあげていた。

姉さんを助けだすのに誰かの手が欲しかった。見まわすと、ひとが集まってきていた。OL風の女性が電話をかけていた。事故です、と通報する声。他の四、五人は通りの向こうでこちらを見つめてくるだけで、近づいてはこない。

セダンの運転席にいるスーツの男性がギアに手を伸ばし、バックさせようとするのが見えた。その瞬間、近くにいた老人が車の窓を叩き始めた。「だめだ！　だめだ！　動かしちゃだめだ！　はさんだままにしておくんだ！」野太い声が響く。「体から車を離すな！　でないと……」その先を老人は続けなかった。

作楽、と呼ぶ姉さんの声で我に返った。近づき、その腕に触れる。姉さんが僕を見る。

だけど目が合わない。視線が泳ぎ、どこかを漂っている。顔が真っ白だった。

「体の感覚がない。ねえ、どうなってる？　わたし、しゃべれてる？」

つま先の湿る感覚があった。見ると、車の下から血が流れてきていた。避けないでいると、靴がどんどん濡れていった。血の流れに沿って何かが運ばれてきた。小さなメモだった。姉さんが僕に渡そうとしていたもの。買い物メモ。

「作楽、いる？」

「い、いるよ。ここにいる」

ようやく絞り出した声は、自分で耳にしても嫌になるくらい、頼りないものだった。手を握ると姉さんは微笑《ほほえ》んだ。無事でよかった、と小さく言った気がした。それから泣き始めた。

「姉さ、ん」

言葉がのどにつまる。うまく出てこない。姉さんは怯《おび》えていた。初めて見る表情だった。励ませるのは僕だけだった。ここにいる家族は、僕だけだった。何か言え。安心させろ。早く。早く。早く。大丈夫だって。助かるって。

「……死にたく、ない」

姉さんは目を閉じて、それきりしゃべらなくなった。

救急車が到着したのは一〇分後のことだった。

†

玄関を開けて靴を放り、廊下を進む。足がもつれて、途中で転びそうになる。教会跡地からここまで、走り通しで息が切れていた。足の指先がじんじんと、さっきからずっと痺《しび》れている。進んでいる実感がなく、不自由な夢のなかを走っている気分だった。

リビングに入るとテレビがついていた。父さんはソファでくつろぎ携帯をいじっている。母さんは食卓のテーブルで、フラワーアレンジメントの仕事で余った花を使い、リースをつくっていた。

「どうしたの、そんな汗だくで。ジョギングでもしたの？」母さんが言った。

たったひとつの質問をするのに、とてつもない勇気が必要だった。実際に口を開いたとき、少しかすれて、声が出た。

「……姉さんは？」

「さあ、予定がなければ、部屋にいるんじゃない？　そういえばさっき、作楽を探してた。というかあんた、どうして制服着てるの？　ジョギングじゃないの？」

母さんも父さんも、喪服を着ていない。休日の、リラックスした私服に変わっている。

葬式が終わってから、一時間も経《た》っていない。

リビングを飛び出し、階段をかけあがる。姉さんの部屋の前につき、深呼吸して、乱れた息を整える。心臓は、ばくん、ばくん、と落ち着かない。ふと、手元を見ると、教会跡地で着信を受けてから、ずっと携帯を持ったままだったことに気づく。

ノックしようとすると、部屋のなかで物音がした。手元の携帯が振動する。出る代わりに、僕はドアを開けた。

「あ、作楽。帰ってたんだ。もう、さっき一瞬だけ電話出たと思ったら、すぐ切るんだもん」

田越葉月。僕の姉さんが、そこにいた。

生きている。そこにいる。

血が流れていない。棺に横たわってもいない。立って息をして、話している。

「事故のことだけどね、わたしたちの治療費と検査費は向こうの保険会社が支払うんだけど、それとは別に警察がもう一度事情聴取するかもしれなくて……って、ねえ作楽、大丈夫？」

自分がどんな顔をしているかわからない。だけど姉さんは心配して、僕に近寄ってくる。一歩近付くごとに、床がきしむ。重さがある。幽霊じゃない。

「ああ、姉さん……」

「なになに、どしたの」

姉さんは僕を抱きよせてくれた。僕は動けず、されるがままだった。体が温かい。姉さんの心臓の鼓動が伝わってくる。動いている。

「怖かったね。でも生きてる。二人とも」

入院費、と姉さんは言った。あの事故は、どうやらそういうことになったらしい。僕と姉さんは、二人とも、軽い怪我で済んだようだ。頬の傷にそっと触れる。ガーゼがなくなっていた。跡形もなく消えていた。

姉さんが続ける。

「最後には、うまくいくようにできている。だから大丈夫」

もう冷たい態度なんてとらない。無視もしない。朝、おはようと言われたらちゃんと返そう。もっと会話を交わそう。僕と姉さんが笑顔になっているような、そういう思い出を増やそう。そしてもちろん、買い物も率先して代わる。僕の人生でようやく、正しいことができる気がする。

四か月だ。と、そのとき声が聞こえた。四か月だ。お前の命は残り四か月だ。それは自分自身の声だった。わかっている。ちゃんとわかっている。でも、いまだけは、この瞬間をかみしめさせてほしい。

腕をまわし、僕は戻ってきた姉さんを抱きしめ返す。頭のなかでは、まだ声が強く響き渡っていた。

四か月だ。四か月だ。四か月だ。

†

生き返った姉さんの様子に異変があらわれたのは、それからすぐのことだった。

最初はうまくいっていた。何もかもが元通りになったと思った。朝食時には全員が食卓につき、何気ない会話でリビングが満たされていった。日常がそこにあった。

父さんは早々と食事を終えて出勤していく。見たいテレビの録画予約を母さんに頼み、家を出ていくのが習慣だ。登校まで時間のある僕と姉さんは母さんの雑談を聞きながらトーストをかじる。フラワーアレンジメントの講師をしている母は、授業で使いきれず余った花を持って帰ってくると報告してくる。

そして登校の準備のために一度部屋に戻る。制服に着替えて、階段を下り、玄関に向かう。靴を履いていると姉さんが追い付いてくる。そのはずだった。

いつまで待っても、姉さんは下りてこなかった。そのころ、少しでも姿が見えなくなると、僕は不安を抱くようになっていた。

靴を脱ぎ、階段を上がって姉さんの部屋をノックする。ドアを開けると、姉さんはベッドで眠っていた。毛布にくるまり、半開きの目で遠くを見つめている。

「姉さん、学校は？」

「なんか今日、体調がよくなくて」

「大丈夫？　学校の誰かに連絡は？」

「うん。もうした」

あとでわかったことだが、姉さんは誰にも休む連絡をしていなかった。

「風邪かもしれないし、うつしちゃ悪いから。作楽は行って」

「……わかった。じゃあ、ゆっくり休んでて」

姉さんは学校を休み続けた。


事故のショックによるＰＴＳＤが原因でしょう、と医者は言った。あの日の事故で、僕と姉は車に追突され、軽傷を負ったことになっていた。僕の頬は傷ついておらず、姉さんは車体と塀に挟まることなく、ほんの一メートルほど跳ね飛ばされたというのが、この世界に生まれた新しい事実だった。

「生きている実感がうまくわかないんです。夢のなかにいるみたいで」

診察を受けていた姉さんは、そう言った。僕は横でつきそい、医者と姉さんの反応を交互に見ていた。医者はやわらかい声色で応える。

「事故に遭ったあとそう感じるのは、めずらしいことじゃない。自分だけの不安や悩みだと思って、抱え込む必要はないよ」

念のため、体にも異常がないか検査をした。僕も受けさせてもらった。問題はなく、その日のうちに退院を許された。帰宅すると同時、姉さんはまっすぐ自分の部屋に向かい、また閉じこもってしまった。

自室に戻ると窓が開いていた。細い窓枠に器用に腰かけて、例の死神が座っていた。本棚から漫画を取り出し、勝手に読んでいる。雑貨店で買った、アメコミの『バットマン』シリーズの一冊。表紙にはバットマンのほかに、もうひとりヒーローが描かれている。弟分のロビンだ。バットマンのそばにいてサポートをするキャラクター。

「サービスに満足してもらえたかと思って、様子を見にきたんだ」

僕に気づき、モーンガータが漫画を放る。漫画は床に落ちることなく、吸い寄せられるように、もとあった本棚に戻っていった。重力を一回でも無視してみせないと、こいつは気が済まないのだろうか。

「姉さんの様子がおかしい」

「PTSDなんだろ。それが何かは知らないけど」

「お前が何かしたんだ」

「まいったな、感謝されると思ってきたのに。きみのお姉さんみたいに人助けをして、気持ち良くなってみたかったのに。まさか責め立てられるなんて想像もしていなかった。

がっかりだ。これだから人間は」

モーンガータは失望し、うんざりするように首を左右に振る。しかし、その口元が笑みを隠し切れていない。こいつは僕の様子を楽しみにきたのだ。

「きみの姉さんは正義感が強い。自分の主義を持ち、その心に従って行動している。助けを求めてくるひとがいたら話を聞くし、求められていなくても手を差し伸べる。個人的にそういうやつは大嫌いだけど、とにかく、それだけ生真面目な人間が、本来の運命に逆らって生き返ったら、どんな反応を見せるだろうね」

「姉さんは、自分が生き返ったことを知っているのか。だから動揺している？」

「いいや知られることはない。だけど無意識のうちに違和感を抱いている。そういうことなら、ありえなくはない」

生きていることに、違和感を覚えている。それがいまの姉さん。

「なんとかしろ。約束が違う。あれは、あんなのは、いつもの姉さんじゃない」

「おかしなこと言うなよ。そんな約束した覚えないね。どうしてもいまの結果が気に入らないなら、契約書を破棄すればいい。いまも肌身離さず、持ってるんだろ？」

首にかけていたネックレスをはずす。シャツの下に隠していた、逆さ十字架があらわになる。モーンガータが契約書といって、あのとき渡してきたものだ。

「この契約は破棄できるのか」

「きみが望めばね。ただし契約によって実現した結果もなかったことになる。隣の部屋にいるはずの姉の葉月は、骨壺《こつつぼ》のなかに戻る」

モーンガータは続ける。

「彼女が生き返った仕組みは簡単だ。きみの残りの寿命を彼女に移植している。契約を破棄すれば彼女は消えて、きみの寿命も丸ごと元通りになる。すべてリセット。徴収した手数料分は戻らないが、この先もきみの人生は続いていく。四か月といわず、何十年でも」

「契約は、破棄しない」

「いちいち言わなくていいよ。きみの自由だ」

手元の逆さ十字架を眺める。いまさら壊せるわけがない。それは、姉をもう一度殺すのと同じことだ。姉がこれから、たくさんのひとを助ける機会を奪う行為だ。僕ひとりの命の重さが、それと釣り合うわけがない。

「姉さんの命は、僕よりずっと重い」

「命の重さには差がある。その意見には同意だ。命の重さは誰もが平等、なんていうやつの言葉を聞くと吐き気がする。人間はいつも、誰かと誰かを比べるくせにね。性別とか年齢とか、貧富とか地位とか、尽きないネタを並べて比較する。そして好きか嫌いか、価値があるかないか判断する」

モーンガータはさらにこう添える。

「面白いのは、命が重いほうの人間が、必ずしも長く生きるとは限らないってことだ。きみもよく知っている通り」

口角を上げないかわりに、目元が不気味に笑っていた。いまの考えを聞いてわかった。こいつは決して人間を軽んじているわけではない。見下しているわけではない。ただしそれと同じくらい、尊重もしていない。

「ところで、あの教会跡地は居心地の好い住処《すみか》のひとつでね。あそこにいれば悩みや苦しみを抱えた人間が勝手にやってくる。祈りを捧《ささ》げてくる。助けてくれ、願いを叶えてくれって。そして有望なビジネスパートナーを見つける」

「お前はどれだけの人間に、こういうことをしているんだ」

「数に興味なんてない。最初のころは記録してたけど、五〇〇年経ったところで数えるのはやめた」

こいつは想像もつかない歳月を生きている。

そしてその食糧は、ひとから差し出される、かけがえのないもの。魂。寿命。目には見えなくても、確かにそこにあるもの。ある日突然、理不尽に、不条理に奪われることがある代物。

教会跡地の神様の正体は、ひとの命を食らう化け物だった。

翌週になって、姉さんが学校に行くと言いだした。素直にうれしかった。回復のための良い兆候だと思ったからだ。だけどそうではなかったことを、すぐに思い知らされた。姉さんは医者の言葉を信じ、自分を奮い立たせ、無理を強いていた。

一緒に登校したときまでは普通だった。昇降口で別れる間際、事故のことを知った同級生や生徒会のメンバー、その他、多くの生徒が姉さんのまわりを囲み始めた。心配していました、と泣き出す女子もいた。姉さんが困ったように笑う。あのひとのまわりにはいつも誰かが集まる。これまで、それを見て劣等感を抱くことはあっても、まさか安心するときがくるなんて、想像もしていなかった。

自分の教室に向かい、高野と挨拶を交わす。姉さんが復帰したことを告げると、彼は天井を見つめた。二階分上の、真上の教室が姉さんのクラスだ。高野の見上げ方には、いるべき場所に、神様がもどったことを確認するような雰囲気があった。

放課後、昇降口で姉さんを待った。帰りも一緒に下校する予定だった。だが三〇分以上待っても姉さんはこなかった。下駄箱を確認するが、靴は履き替えられていない。まだ校内にいる。

生徒会の予定でもあるのかもしれないと思い、生徒会室に寄ってみた。今日は活動日ではないらしく、室内は明かりがついていなかった。

どこかの部活や委員会の手伝いをしている可能性も考えて、あちこち回ってみた。姉さんはどこにもいなかった。姉さんのクラスがある教室をのぞくと、何人かがまだ残っていたが、やはり姿はなかった。教室に残っている上級生たちに心当たりを聞くべきだったが、萎縮し、なかなか足が進まなかった。

ふと、首にあの逆さ十字架がかかっていることを思い出す。こんなくだらないことで、怖気づいている場合ではなかった。服の下に隠しているそれをそっと握り、意を決して教室に入った。予想していたよりも緊張せず、質問することができた。

「とっくに出ていったよ？」残った女子生徒のひとりがそう教えてくれた。「今日はお祭り騒ぎだったね。葉月が戻ってきたから」

「姉に何か変わった様子はありました？」

「別に？　いつも通りって感じだけど」

廊下を歩きながら電話をかける。つながらない。メッセージにも返信はなかった。

階段を下りようとしたところで、段差の隅に筆箱が転がっているのが見えた。一昔前に流行《はや》ったカエルのマスコットキャラがついている。姉さんの筆箱だった。拾い上げて、階段の先を見上げる。この階の一つ上は屋上だ。普段は鍵がかかっていて、一般生徒は入れない。

予感にかられ、そっと階段を上る。屋上のドアの前までつくと、床に壊された南京《なんきん》錠《じょう》が落ちていた。どこからか入り込んできた、蟬の死骸も近くに転がっていた。

ドアについた曇りガラスをのぞく。立ち入り禁止の屋上に人影が見えた。

ドアを開けると、外の熱気のなかに姉さんがいた。周囲には紙切れが散らばっている。よく見ると、教科書とノートの残骸だった。そばに置いてある鞄《かばん》から数学の教科書をだし、姉さんは力ずくで破り捨てていた。

「姉さん、ちょっと。何してるんだ」

駆けより、取り上げようとするが、抵抗された。肘鉄を胸に食らい、せき込む。姉さんは手を止めない。爪の先が血でにじんでいた。何ページ分も一気につかみ、強引に教科書を破る。段ボールを裂くような、鈍い音がなる。丁寧にマーカーで要点を記してあるページの一枚が、風に吹かれ、飛んでいく。

姉さんが叫ぶ。

「違う！　ここは違う！　少し違う！　とても違う！　わたしは生きてない！　間違ってる！　なのになのにどうしてかここにいる！　なんで、なんで、なんで！」

「姉さん」

両肩をつかみ、強く呼んで、強引に意識を向かせた。ようやく目が合い、作楽、と小さく声をあげた。事故のとき、怯えた姉さんが口にしたトーンと、よく似ていた。凍えるよ
教科書を破り捨てるのをやめて、姉さんはその場でうずくまってしまった。凍えるよ

うに、自分の体を抱きはじめる。葬式のときにも見た、欠点のない青い空がまた、僕たちを見下ろしていた。

「わたし、ここにいるのおかしいよ。おかしいの。絶対におかしい」

抱き寄せる。そこにかつての面影はない。頼れる生徒会長はいない。痴漢や万引き犯を捕まえた、立派な市民はいない。下級生や同級生の悩み相談に乗る三年生はいない。

そしてまだ、誰も気づいていない。僕だけが、姉さんの崩壊を知っている。

葬式の日、霊柩車で出棺される直前、建物の裏手のトイレで、ひとに隠れるように泣いていた母さんを思い出す。姉さんは昔から母さん似だった。誰にも自分の弱さを見せない。こうなったいまでも、その理性だけは残っていて、だから一人で屋上にきた。

生き返ってほしくて。

また、元通りになってほしくて。

その一心で、あいつにすがった。

取り戻したと思った。ぜんぶ良くなると思った。

でも、理不尽は続いていて。

不条理はたえまなく降りかかってきていて。

「大丈夫。大丈夫だよ、姉さん」

また同じだ。そんなことしか、僕は言ってあげられない。代われるのなら代わりたい。

その苦しみをぜんぶ引き受けたい。苦手でも、嫌いでも、やっぱり家族だから。

「作楽。わたし、こんなに弱かった。みんな頼ってくれるのに。助けたいのに。助けてあげなくちゃ、いけないのに。これじゃ、わたし、だめだよ」

「そんなことない。姉さんは元に戻る。すぐに戻るよ。いつも、姉さん自身が言ってるじゃないか。最後には、うまくいくようにできている」

その根拠は？　どうして大丈夫だと言い切れる？　言葉ではなく行動で、一度でも示してみたらどうだ？

どうすればいい。いまの僕に何ができる。四か月を切ったこの命の、ただひとつの正解である使い道は、いったい何だ。


朝、机にある卓上カレンダーを取り、昨日の日付に斜線を引く。命が尽きるまで残り一一三日。ひとり家を出て、登校する。

姉さんは再び学校を休みはじめた。休み時間にトイレに行くとき、あるいは体育や音楽で教室を移動するとき、そして昼休み、廊下を歩くたび誰かに声をかけられた。同級生や先輩、部活や委員会のひとたち。同じことを聞かれて、同じことを返した。

「今日は葉月さん来てないの？」

「また体調不良みたいで」

「そっか。明日はくるかな？」

「わかりません。ごめんなさい」

僕から具体的な情報が聞き出せないとわかると、姉さんを求める生徒たちはみんな離れていった。姉さんを守るための嘘が、本当に彼女を助けられているか不安だった。もういっそのこと、次に尋ねてきた誰かに洗いざらい、すべてぶちまけてしまおうかとも考えた。

その相手が現れるのを待っているとき、ふいに廊下の窓から、林に入っていく人影が見えた。

校舎裏の林。影で誰かは見えないが、あの林の奥にあるものはわかっていた。教会跡地。

こうしているいまも、僕の知らないうちに、名前も顔も知らない誰かが、ベルのなかに私物を入れ願っているかもしれない。抱えきれない悩みを、神様に託しているかもしれない。そしてアレがやってくる。

姉さんなら。

田越葉月なら、きっと放っておかない。

代われるものなら代わりたい。自分は昨日、そう願った。

ならばそれを実現するのはどうだろう。

僕が姉さんになる。代わりになる。姉さんのように生きて、姉さんの哲学と主義を理解し、生きていく。

完璧じゃなくていい。たったひとつ、今回だけでいいから、失敗じゃなかったと言えるようなことをしたい。

初めはうまくいかないかもしれない。他人と関わることすら億劫《おっくう》で、コミュニケーションもろくに取れない僕が、姉さんに代わって誰かを救うなんて。そんな大それたこと、まだ全然、想像もできないけど。きっとこれからたくさん、過ちを犯すことになるかもしれないけど。

まずは仕草を変えよう。歩き方も、話し方も、ぜんぶ変える。自分を殺して姉さんになる。そして誰かを助ける。七月が終わり、もうすぐ夏休みになる。姉さんになるための、練習の時間はたくさんある。すべて捧げよう。バットマンはお休み。ここからはロビンの出番。

命の使い方が、ようやく決まった。

†

夏休みに入ると、部屋にある姿見の前に立つことが多くなった。姉さんになるために、まずはいまの自分がどう見えるかを知りたかった。

「僕は田越作楽」

ぼそぼそとした声。目元には薄いクマ。まだ日焼けしていない肌。半袖から伸びる、細くもなく、太くもない腕。不格好な寝ぐせに、気を抜くと曲がってくる背筋。どれも姉さんの佇《たたず》まいや、雰囲気とは程遠かった。どんな言葉を使い、どんなしゃべり方にすれば、姉さんのような温かさや余裕を出せるかを試した。ただ、これはすぐに間違ったやり方だと気づいた。

姉さんになり代わるためには、まず姉さんの思想を理解しなければいけなかった。何を考え、どういう根拠のもとで、行動を起こすのかを知る必要があった。

「僕は田越作楽」

たとえば姉さんは、商店街でお年寄りが重そうに荷物を抱え、ふらふらと歩いていれば、躊躇なく声をかける。そういう、一見、自分とは無関係に思えるひとにも距離を縮めていく。

僕にも守りたいひとや、助けになりたいひとはいる。だけどそれはたいてい、まわりの家族や、数少ない友達がその対象だ。自分の近くだけ平和であればいい。自分の半径三メートルのなかにいるひとたちであれば、気にかけるし、守りたいと思える。

そして姉さんの場合、その「認識の半径」が僕よりもかなり広い。僕にとっては無関係でも、姉さんにとっては、自分の円のなかにいるひと。そういうひとたちが大勢いる。姿勢をよくするとか、笑顔を増やすとか、ハキハキしゃべるとか、言葉づかいを変えるとか、それよりも前に僕はまず、自分の半径を広げる必要があった。

意識していくと、徐々に手ごたえがあった。まわりを気にかけるには、視野を広げて、遠くまで見渡さないといけない。だから自然と姿勢がぴんと伸びる。

困っていそうなひとがいれば声をかける。そのための口調や、言葉づかいを身につけていく。警戒されないための声色。味方であると示す表情。

自分の中身が、そうして徐々に代わっていった。調整されていった。化けていった。

「僕は田越作楽」

八月の中旬、お盆にさしかかるころ、僕はようやく僕ではなくなった。

「僕は、田越葉月」

一日の始まりに姉さんの部屋に入るのが、ここ一か月ほどで染み付いた僕の習慣になっていた。姉さんが部屋を出ている間に、ひとり毎回、こっそりと入る。いまは朝食中でまだ戻ってくる様子はない。

まっすぐ本棚へ向かう。床に近い段には流行りの小説やメディアミックスを果たした漫画が並んでいる。本が置かれた前のスペースには埃《ほこり》がたまっていて、取りだされた跡はほとんどない。同級生と話題を合わせるために買ったのがわかる。目につきやすい中段、そして上段に並ぶのは年代別に並べた日本史、それから世界史の本。宗教史、哲学史と続き、ノンフィクションや伝記ものも目立つ。文庫本、新書、単行本と高さごとに揃《そろ》えられている。

本棚をのぞくのは、そのひとの脳みそを見るための一番近道だと思う。どんな本をよく読むかだけではなく、どんな風に整理しているか、どんな風に並べているか。それを眺めているうちに、姉さんの思考の流れが読めるようになってくる。たとえば、哲学に関連する本が特にくたびれているのがわかる。ヘーゲル、ホッブズ、スピノザ、ライプニッツ、サルトル、ヒューム、ハイデガー、カント、その他大勢の先人が、姉さんの本棚に鎮座している。

元々は姉さんになりきるため、そして理解するための手段として、僕はここで本を取り、目を通してきた。いまではここにくる意味も変わっていた。

いまいち集中できず、文字が追えなくても別にいい。この部屋で本を開くことが大事だった。僕自身が「姉さん」になるためのルーティンとなっていた。

「また勝手に入ってる」

振り返ると、ドアの前に姉さんが立っていた。片手に新聞を持ったまま、腕を組み、あきれ顔。朝食が思ったよりも早く済んだらしい。

「ごめん。本に夢中になってた」

「だから持って行っていいってば。もう何回目。五回か六回？」

姉さんに直接姿を見られたのは、確かにそれくらいかもしれない。実際に部屋に入った回数は、残念ながら僕たちの両手を合わせて数えても足りない。

「ここで読むのが好きなんだ」

「熱心だね。ひとが変わったみたい」

「読書は前からしてたよ」

「目覚めたのは、読書だけ？」

姉さんが持っていた新聞を開き、記事を見せてくる。小さな見出しでこうあった。

『ひったくり犯逮捕に貢献　正体は近隣の高校生？』。僕たちの住んでいる町の名前と、商店街近くで起きたひったくり事件を知らせる記事だった。警察がかけつけるまでの間、青年が犯人を取り押さえていたとある。

「青年は氏名を名乗らずにその場を立ち去った、ってさ」

読み上げながら姉さんは、僕の顔と記事を交互に見てくる。

「僕がその青年だって？」

「事件が起きた日、ちょうど右腕に擦り傷をつけて帰ってきたよね」

姉さんの位置から右腕が見えないよう、体をずらす。肘から手首のあたりにかけて、小さなかさぶたがいくつもできている。最近はかゆくてしょうがない。

「買い物の帰りに転んだだけだよ」

「よっぽど前方不注意で歩いてたんだね」

「転ばずに歩くのだけでも精いっぱいだ。自転車で逃げた犯人なんて追えるわけない」

「記事に自転車なんて書いてないけど？」

本を閉じて、棚にしまう。これ以上しゃべるのはよくない。

黙って姉さんの横を通り過ぎようとしたところで、頭をがしがしと撫《な》でられた。

「立派だよ。警察に名乗り出たくないなら、わたしも黙ってる」

「……目立つためにやってるわけじゃない」

本当の目的は、姉さんになるため。姉さんの代わりに、誰かの助けとなるため。記事に書かれた青年の正体はバレても、この事実だけは、知られるわけにはいかない。

夏の一か月を、僕は姉さんになるためにまるまる捧げた。姉さんなら使うであろう言葉を使った。するであろう行動を実行した。考えるであろうことを、すべて思考した。

その結果として、ひったくり犯の逮捕に貢献したり、ほかにも記事にはならないような小さなことで、ひとに感謝されたりした。

だけどまだ「本命」には出会えていない。

僕が解決すべき、本当に助けるべきひとたちには、まだ出会えていない。そのときがくるのを僕は待ち構えている。僕の頭のなかには、戦場に駆り出されようとしている兵士がいて、彼は駐屯地のキャンプでひとり、静かに銃を磨いている。

「そろそろ遅刻するから。いってきます」

「今日から夏休み明けだっけ。いってらっしゃい」

姉さんは制服に着替えない。予定もあえて聞かなかった。たぶん、図書館に行くのだと思う。学校には行けなくても、勉強だけは欠かさない。

「前方不注意で転ばないようにね」

姉さんが新聞を渡してくる。自分の部屋に戻り、丸めてごみ箱に捨てた。

そしてついに、そのときがやってくる。

二章　正しい世界の壊しかた

富士見伊織《ふじみいおり》との出会いは、決して強烈なものではなかった。どちらかといえば、服についていた食事のシミに気づいたような、そんなさりげない違和感がきっかけだった。目立つことを好まず、主張することをひたすら避け、たとえば集合写真に写るときは後ろの列の左から二番目くらいの位置に立つような、無難な女子。シャーペンを使って芯を折ってしまったとき、その音でまわりの生徒が自分を見てこないか心配するような繊細な女子。彼女はある日とうとつに、僕たちのクラスに紛れ込んできた。

僕が問題の服のシミに気づいたのは、夏休みが明けてすぐのことだった。授業が始まる一〇分前には教室につき、自分の席に向かうと、高野が僕の席を陣取っていた。足を組み、そこに漫画雑誌を乗せて読みふけっていた。あまりにも我がもの顔だったので、少し嫌な気分のまま挨拶を交わすことになった。

「おはよう高野。新連載はどう?」

「表紙は面白そうだったけど期待した展開じゃなかった」

「ジャンプは僕も好きだけどさ、それは自分の席で読んでくれ」

「ははは、夏休みボケがまだ残ってるのか」

「なんの話だよ」

高野が雑誌に戻そうとした視線を、僕に向けてくる。不可解なものを見る目つきだった。それはこちらがするべき目つきのはずだ。

「なあ、一時間目から数学の小テストがあるだろ。僕はその予習をしておきたいんだ。お前も戻ってそうしたほうがいい。席をどいてくれ」

「ここは俺の席だ、作楽。俺は最初から自分の席で漫画を読んでるし、ついでにいえば数学のテストはあきらめてるし、お前の席はちゃんとそこにある」

高野が一つ後ろの席を指す。確かにその席には誰も座っていないが、そこはクラスの女子で一番身長が高い蔵元《くらもと》さんの席だった。僕のじゃない。僕の席は窓際から二列目、後ろから三番目の、まさしくこの席のはずだった。夏休みが明けて席替えが行われていらい、ここでずっと授業を受けてきた。

そこでようやく、違和感に気づいた。

一番後ろの席にいるはずの男子生徒が、隣の列の一番前の席に移動していた。それだけじゃない。僕らの列にいる、普段は一番後ろにいる女子も、窓際の列の一番前の席に移動していた。よく見まわすと、どの列のどの席も、みんな、ひとつずつズレていた。

「お前、大丈夫か？」

高野は本気で心配している様子だった。彼が何かを言ってくるが、もう耳には届いてこなかった。僕は違和感の正体を必死に探していた。

席が一つずつズレている。それはつまり、どういうことか。

列のどこかに席が一つ増えていて、教室に一人、生徒が増えている。

一つ後ろにズレた自分の席につき、冷静に考える。後ろにズレたということは、僕の席より前で誰かが増えたということだ。それはいったい誰で、どこから始まっているのか。

壁側の席から、一人ずつ名前と顔を一致させていく。一列目は、僕が覚えている通りの席順だった。つまりそこに変化は起きていない。二列目に視線を移動させ、同じことを繰り返す。

そして、前から三人目を数えたところで、僕はようやく彼女に気づいた。

このクラスにはいなかった女子生徒。名前も顔も、僕は知らない。そんな彼女は当たり前のように席につき、一時間目にある数学のテストの準備をしている。

「高野。あそこの席に座ってる女子、名前は知ってる?」

「え? ああ、富士見伊織だろ。話したことないけど」

「ずっと前からあそこにいた?」

「そうだと思うけど」

「今日から転校してきたとかではなく?」

「四月に自己紹介してたよ。早口でぼそぼそ言ってて、何しゃべってるかわかんなかったけど。確かにいたよ。なあもういいか？」

「ごめん、ありがとう。今日はもう大人しくしておく」

「そうしろ。そうするべきだ」

あとひとつだけ、確かめてから。

おそらく僕以外の全員が、富士見伊織という女子生徒を認識しており、このクラスにいるのが当たり前だと思っている。だけど僕だけは実感がない。

このちぐはぐな感じ。気づけば横にある違和感。ずっと前から、友人みたいにそばにいるようで、だけどその奇妙さを隠し切れていない、独特の感覚。世界が自分だけを置いて変わってしまった不安。僕はこれに覚えがあった。ついにこのときがきた。

僕は席を立ち、まっすぐ、富士見伊織のもとに向かう。たどりつき、ねえ、と声をかける。富士見伊織が、そうっと顔を上げてくる。前髪で目もとがわずかに隠れている。肩のあたりで内側にまいた髪型は、なんだか自分を守っているような印象を受けた。それから、唇の下にあるほくろが妙に印象的だった。

「富士見伊織さん、だよね」

「……何か、用ですか？」かぼそい声で返事があった。

下手な言葉をかければ、傷つけてしまうような気がして少し迷った。そういう、うかつに手を触れてはいけない雰囲気が彼女にはあった。だけど結局、遠まわしに尋ねても負担になると思い、単刀直入に聞くことに決めた。

「きみはどこからきたの？」

「……あ、え」

「昨日まで、このクラスにはいなかった。そうだろ？」

富士見は黙った。だけど表情は雄弁だった。血の気が引き、青ざめている。ここまでわかりやすい動揺を見るのもめずらしい。

「落ち着いて。とにかく僕は、きみの助けに……」

「いやあ！」

彼女の悲鳴で、言葉が途切れる。富士見伊織は立ちあがって、そのまま教室を出ていってしまう。取り残された僕は、クラス中から奇異の目を向けられることになった。富士見が取り乱したということよりも、僕が何かちょっかいをかけて叫ばせたという事実のほうが、大きくスクープされてしまったようだった。

高野と目が合い、ため息を返された。何を告げようとしているか、彼の態度だけですぐにわかった。だから大人しくしろって言ったのに。

結局その日、富士見伊織が教室に戻ってくることはなかった。一度トイレで教室を出た間に、彼女の席から残されていた鞄も消えていた。完全に避けられていた。

放課後になり、僕もまっすぐ帰宅した。玄関に姉の靴はなく、しまわれたままで、今日も一日、部屋で過ごしていたことを知る。

自室に戻ると、モーンガータが当然のように居座っていた。退屈しのぎなのか、まわりにはたくさんのボードゲームが散らばっている。

「やあおかえり」

「当たり前のように出迎えるな」

「一人オセロの最中なんだ。邪魔しないでくれないか」

「いますぐ片付けろ」

モーンガータが指を鳴らすと、オセロ盤以外のすべてのボードゲームが、一瞬で消える。こういう光景も僕は、ここ最近で見慣れてしまった。

カーペットを敷くみたいに、床一面に広がる長い黒髪。宇宙を映したみたいな黒と、あわい光。さまざまな色の布がつぎはぎされたコートに、いくつものポケット。

「作楽、暇なら金平糖でも買ってきてくれよ」

「もう二度と部屋に入らないと約束するなら、いくらでも貢いでやる」

「そう言って、本当はボクとオセロがしたいんだろ」

「お前のボードゲームの趣味も、ころころ変わる一人称にもうんざりだ」

「キャラを模索中なんだ。どういう一人称が一番人に受け入れられやすいか。今日は『ボク』でいこうと思う。ボクの名前はモーンガータ」

黒をはさみ、ひっくり返して白にする。ひっくり返ったばかりの白をはさみ、また黒にする。本当にひとりでオセロをしていた。この前はひとりで人生ゲームをやっていて、借金が一〇億を超えたところでボードを燃やしていた。

「お前、僕の学校の生徒にちょっかいをかけてるだろ」

「さあどうだろう」

「とぼけるな」

「きみこそボクに隠してることがあるくせに。考えてることはなんとなくわかる。目ざわりになりそうだから、忠告にきたんだ」

「残り少ない命は有意義に使うと決めている」

「それならオセロで勝負をしよう。そのほうがよっぽど有意義だ」

白が黒に。黒が白に。繰り返し。

「今日、いままでいなかった女子生徒が急にクラスに加わってた。お前の存在を知っている僕だけがそれに気づいてる。お前が関わってる証拠だ」

「そういえば、何日か前に契約を交わしたようなしていないような」

「富士見伊織という女子だ。どういう契約を交わしたんだ。教えろ」

「いいよ。ただしオセロでボクに勝利できたらね」

モーンガータは自分の髪を箒《ほうき》のように動かし、盤面をはさんだ向かいの床を掃く。僕に座れということらしい。どうしてもオセロがしたいのか。

「勝ったら本当に教えろよ」

モーンガータの向かいに座る。そうしてオセロを始める。怪物は自分の持ち色を白に選んだ。どの面下げて、という感じだ。

勝負の間、揺さぶりのつもりか、モーンガータはひたすら会話を促してきた。

「言わずもがなだと思うけど、ボクとの契約は、契約した本人しか破棄できない。それぞれが持っている『契約書』を破壊しない限り、取引は永遠に続く」

「契約書が破棄されれば、叶えた事実も消える」

だから説得して、やりとりをかさねて、本人に契約書を破壊してもらう。

服のなかに隠れた自分の『契約書』にそっと触れる。逆さ十字架。モーンガータから人を救うだなんて、偉そうなことをしようとしているけど、僕はまだ自分の契約書を壊していない。でもこれが無くならない限り、姉さんは生きられる。

オセロの勝負が中盤にさしかかる。

「富士見伊織は来週、ちょうど契約更新の時期だったかな。ボクが魂を取り立てる前に、その苦笑いしそうになる正義感で救いだせるといいね」

「契約更新というの、どうして僕にはない」

「厳密にいえばきみにも更新はある。だが更新を迎える前に寿命が尽きる。願いの大きさによっては、更新が一度もないまま寿命を迎えるやつもいる」

取引。契約。それから手数料やら、契約更新やら。モーンガータにはそういう、社会的な言葉を使う傾向がある。僕ら人間に、理解しやすくさせるための表現なのだろうか。

「僕が死んだあと、僕の契約はどうなる？　更新ができなくなれば無効か？」

「いや。きみが死んだあとも、契約によって改ざんされた事実は持続する。一見すればきみに有利な規則だが、こちらにも得がある。改ざんされた事実を元に戻すのにも、それなりの労力が必要になるからね」

つまりこいつを一番苦しめるには、契約を交わした人間から、契約書を破棄させること。やはりそこに尽きる。

「作楽のようなケースは例外として、普段は契約更新をする。週ごと、あるいは月ごと、年ごとに魂を徴収する。本人が契約書を破棄するまでの間、永遠に」

「定期的な収入があったほうが、生活が安定するからか」

「きみはもう支払いを終えて、残された短い命をまっとうするだけ。ボクにとってはただの搾りカスだ」

「その搾りカスにしつこくつきまとってるのは、どうしてだよ」

「個人的に好きなんだ。きみの苦しむ顔」

言い返すかわりに、ぱちんと、コマを打つ。モーンガータの意識が盤面に戻る。終盤になっていた。こいつが逆転するのはもう不可能だ。勝利宣言のための決め台詞《ぜりふ》でも考えようかと思った矢先、モーンガータが暴走した。

「おおっと」

ボードをひっくり返し、コマが床じゅうに散らばっていく。

「悪い、手が滑った。事故が起きたということでこの勝負は無効だ。いやあ残念」

「ふざけるな」

「苦しむ顔が見たくてつい」

何度かつめ寄るが、結局、モーンガータは負けを認めなかった。挙句の果てに指をならして、どこからか持ってきた金平糖をつまみだした。うちの冷蔵庫の奥に隠しておいたものだった。何かの交渉のとき、餌として使えると思っていたものだ。

「ねえ作楽、知ってるかい？　求められてもいないのに助けようとする。そういうのを偽善っていうらしいよ。ボクのサービスに満足している顧客にきみが手を出すことで、その彼もしくは彼女が、逆に不幸になったら、きみは責任を取れるのかな？」

「僕がお前のサービスの質を確かめてきてやる。富士見伊織にどんな願いを叶えたか教えろ」

「その手には乗らない。安い挑発だな。もっとマシな方法を考えろよ」

「だったらお前とはもうゲームはしない」

「…………なに？」

「オセロも将棋もチェスも、モノポリーも、人生ゲームも、レースゲームもやってやらない。それでもいいのか」

モーンガータが何かを言い返そうとするが、口がぱくぱく動くだけで、言葉が続くことはなかった。動揺を隠すためか、こちらに背を向ける。

「きみの脅しに屈したわけじゃないが、気が変わったから教えてやってもいい。あくまでもボクの気まぐれ。本当に偶然。きみの脅しとはまったく関係がない」

「わかったから教えろ」

「『一年C組から自分を消してほしい』。それが富士見伊織の願いだった。だから隣のクラス、つまりきみのいるB組に彼女を移らせた。C組とB組の生徒、彼女の関係者、それぞれの記憶も改ざんした」

富士見伊織の元のクラスはC組。そこから自分を消してほしいと願った。何かのきっかけで追いつめられた彼女は、モーンガータと取引を交わした。おそらく、その直前にあそこに行ったのだろう。校舎裏の、雑木林の奥にある、教会跡地。願いを叶える神様の噂を、富士見は知っていた。

「富士見伊織に何があったんだ。どうしてそんなことを願った？」

「それは言えない。個人のプライバシーに関わる」

変なところで律儀な死神は、そのまま黙り、そして気づくと消えていた。

ひとまず、富士見伊織へのとっかかりをつかむことができた。

富士見伊織はC組で何らかの不都合を起こした。もしくは、不条理な目にあった。それは簡単には解決できない問題で、そこにモーンガータがつけこんだ。まずはその中身を知るところから始めないといけない。問題を解消してやれば、彼女がB組に居続ける理由はなくなる。モーンガータに依存せずとも、生きていける。

翌朝、姉さんに気づかれないよう、部屋に入り本を読むルーティンを済ませ、いつもより三〇分早く家を出た。先に教室で待ち、富士見が来たらすかさず話しかけるつもりだった。

予定が崩れたのは昇降口に到着したときだった。そこで彼女とばったり会ってしまった。僕の姿を認めたとたん、持っていた上履きを落とし、富士見はそのまま走って外に出ていこうとした。

「待ってくれ」

「ひょうああ！」

叫びながら、富士見は昇降口の、ロックされて開かないほうの扉に盛大にぶつかる。幸い、ガラスは割れなかった。

倒れた彼女に手を貸し、起こすついでに訴える。

「私のことは、放っておいて、いただけないでしょうか……」

「モーンガータだろ。きみと取引したのは」

その名前を口にすると、富士見がぱっと顔をあげた。外から隙間風が吹いてきて、彼女の髪を浮かせる。のぞいた顔、その目が、すがるように僕を見ていた。

「あのひとを知ってるんですか？」

「あれはひとじゃない。僕もあいつと取引をした。どういう仕組みかも知ってる。寿命を、取られたんだろ」

「……だからあなただけは気づいたの？　私がB組に移ったこと」

そうだ、と答える。

「とりあえず、どこかで話さないか」

授業開始まではまだ時間があった。僕たちは会話が聞かれにくい、中庭に移動することにした。富士見は黙って後ろをついてくる。たまに止まると、同じタイミングで彼女も止まった。一定の距離を常に保ち、そこから近づいてはこない。

途中で自販機を見つけたので、寄り道することにした。

「何かおごるよ」

「いえ、そんな。悪いです」

「オレンジジュースとかでいい？」

「アイスココアがいいです」

控え目な性格かと思っていたら、意外と主張があった。自販機で自分用の野菜ジュースと、富士見のアイスココアを買う。購入したあとに小銭の投入口付近のモニターが点灯し、数字が並び始める。数がそろえばオマケでもう一本当たるという仕組みだ。僕は当たったことがない。今回もそうだった。

缶を持ちながら、中庭のベンチに移動する。ここなら話は聞かれにくい。大きな木がそばにあり、木陰になっている位置だった。席にたまった落ち葉を払って座る。

「野菜ジュースなんて美味《おい》しいんですか？」

「味は普通。でも姉さんが好きだったから。最近、僕も飲むようになった」

姉さんになるための一環だった。生活習慣をなぞり、近づく。本物にはなれなくても、努力はしている。実際になぞってみると、どういう気持ちで姉さんがそれをしていたか、わかるときがある。姉さんはいつも朝が早く、用事で朝食をとる時間がないときもある。そういうとき、野菜ジュースで素早く栄養補給をしていたのだ。

「田越くんも見たんですか？」

「見たって？」

「契約前に、あの、証拠みたいなやつ」

いきなり話題が変わったが、何を指しているのかはすぐにわかった。モーンガータが契約を交わす前に、義務で行っていると言っていたことだ。契約前の注意事項と、あいつは話していた。

「見たよ。僕のときは、電車に轢かれる男性だった」

「私は、マンションから落ちる女性です」

寿命が切れた人たち。契約を更新し続けた者の末路。

「田越くんはどんな取引を交わしたんですか？　最初の取引のとき、どれくらい寿命を奪われましたか？　契約の更新はいつですか？」

「きみ、見た目に似合わずグイグイくるんだな」

「ごめんなさい。よく言われます。普段は目立ちたくないから、ひととあまり話もしないし。だからペースとか、わからない」

目立ちたくない。注目されたくない。自分の存在を誰かに認識されたくない。

その気持ちはよく理解できた。かつての僕がそうだった。姉さんの存在に、コンプレックスを抱いていたころ。いまもそうかもしれない。

「富士見は、どうして目立つことが嫌なの？」

「ひとから注目を受けて、今までいい目にあったことがないんです」

富士見はその具体的な内容までは語ってこなかった。ここは無理に引き出すべきタイミングではないと判断する。代わりに僕は自分の話をすることにした。相手のことをより聞き出すためには、自分のことを明かすのが礼儀だと思っている。

首にかけた逆さ十字架を出し、富士見に見せる。見れば見るほどうさんくさい。どこかの中学生が、修学旅行先で買ってきたような玩具と言われても、信じてしまいそうだ。

「僕の場合は、亡くなった姉を生き返らせた。葬式が終わった日の午後だった。教会跡地で、あいつと取引をした」

「それが、契約書ですか」

「うん」

「私のはもう少し大きいです」

正体が気になったが、まだ聞かない。向こうが話すまで待つ。

富士見は質問を変えた。

「お姉さんはいま、生きているんですか」

「うん。でも、僕が思い描く通りの未来にはならなかった」

残ったのは魂の残骸だけ。二か月ほどで尽きる命だけ。

僕の残りの寿命のことまでは、話さなかった。話せなかったというのが正しいのかもしれない。理由は自分でもよくわからない。モーンガータの恐怖を伝えるには、格好の話題であるはずなのに。それでも説得の道具として使うには、なんだか、あまりにも醜い恥のように思えた。

「話を聞かせてくれて、ありがとうございます。私、自分以外にこの件と関わってるひとを、初めて見ました。田越くんにはとても失礼かもしれないけど、自分だけじゃないんだって、ほんの少し、安心してしまっている」

「富士見。きみはどうして、モーンガータを頼ったんだ？」

聞くならこのタイミングだと思った。富士見の繊細な心を利用するようで気が引けたけど、僕に同情してくれているいまこそ、答えてくれる気がした。

「大したことのない悩みです。田越くんに比べたら。口にするのも恥ずかしい」

「悩みは他人と比較できるものじゃないと僕は思う。大きさを決めるのは、抱えている本人だから」

安っぽくて、ありきたり。どこかで聞いたことがあるような文言を使って、僕は富士見を説得しようとしていた。姉さんの本棚にあった本で見た言葉かもしれない。とにかく僕は、それを道具として使った。他人の言葉を武器にした。

やがて数秒の沈黙のあと、富士見はモーンガータとの出会いを明かし始めてくれた。

それはこんな出だしから始まった。

「私、制服を盗まれたんです」

　事が起きたのは、夏休みが明けて、最初の体育の授業が終わった直後だったという。当時、女子更衣室は二年生が使っており、一年の彼女たちのクラスは教室で着替えることになっていた。富士見が授業を終えて教室に戻ると、机に置いておいたはずの自分の着替え、制服一式が消えてしまっていた。

　必死に探すが制服は見つからない。開いていた窓から落ちたのかと思ったけど、そうではない。次の授業の開始五分前になっても、富士見は体操服のまま。何人かが探すのを協力してくれて、そのうち一人が言い出したのだそうだ。

『教室に忍び込んで、何かを持ち去っていく人を見た気がする』

　それで話が、一気に制服泥棒の線になった。

「私、制服のスペアはあるからいいって言ったんです。でも、みんな、なんか、とまらなくて。犯人を捜せとか、絶対に許せないとか、捕まえて罪を償わせるとか。盗まれたのは私なのに。みんなは関係ないのに」

　そのうち教師も巻き込んで、制服泥棒の話がいよいよ大ごとになってしまった。富士見はクラスの視線を一身に浴びることになった。どれだけいさめようとしてもとまらない。収束させようとしても、膨張する。

　制服泥棒の被害者という立場は、目立つことを極端に嫌がる富士見にとって、非常に都合が悪いものだった。かといって誰にも相談できず、他人を頼れば頼るほど、事件が大ごとになっていく。

「教会跡地の神様の噂は知ってました。信じていたわけじゃなかったけど、とにかくひとりになりたかった。だから放課後、あそこに行っておそなえをしたんです」

　富士見がベルのなかに入れたのは、一冊の文庫本だったという。ちょうどそのとき鞄のなかに入っていて、読み終えたばかりのもの。

「それからすぐ、現れたんです。アレが」

　あいつは、追い詰められた富士見にそっとささやいたのだ。

　どうにかしてあげよう。事態を収束させてあげよう。みんなの記憶から、この出来事を消し去ってみせよう。苦しみから、解放してみせよう。きみには救われる資格がある。

「私はいち早く、あそこから逃げ出したかった。自分を消したかった」

　そして富士見伊織は、B組にやってきた。

　富士見の話を聞いているうち、気づけば授業開始の一〇分前になっていた。僕は最後に彼女に訊いた。

「後悔はない？　いまのこの世界が、ずっと続いてほしい？」

「私がC組に戻って、みんなの記憶が元通りになったら、また制服泥棒の話題で盛り上がってしまう。あそこには戻りたくありません。たとえ寿命を犠牲にしても。高校卒業まで穏やかに過ごせるなら、寿命の数年くらい」

やはり簡単には、契約を破棄する気はないようだった。そもそも、ほかにすがる相手がいないから、考えて、考えて、考えて、それでも解決策が思いつかなかったから、モーンガータに頼ることになってしまったのだ。

一度モーンガータのささやきに屈すると、次に結ぶ別の契約への意識のハードルが、がくんと下がる。最初は小さな契約かもしれない。長い人生のなかで、失うのはたった一分だけ。それならもっと結んでも大丈夫。あれも、これも、と取引を交わしてしまう。気づくころには想像以上に、寿命が少なくなっている。そうなればもう手おくれ。家の前の信号を渡った瞬間、バスが自分を轢き殺すかもしれない。工事現場の近くを通れば鉄骨が脳天を直撃してくるかもしれない。だがいきなりそんなことを話しても、きっと納得はしてくれない。

「あ、でも、後悔というわけではないんですけど……」

「うん？」

「仲のいい友達を、クラスに置いてきてしまったので、少しさびしいです」

「友達、か」

「小学校のころから一緒なんです。彼女は……、あ、ちょうど話してたら」

富士見が校舎のほう、渡り廊下に立つ女子生徒に手を振る。ぶん、ぶん、と快活な動き。向こうの女子も手を振り返す。短い髪。ジャージにスポーツバッグ。運動系の部活に入っているのだろう。朝練が終わったあとだと察する。

「私、先に行きますね。由紀《ゆき》ちゃんが待ってるから。また教室で会いましょう。話しかけるときはできれば小さい声でお願いします。大声出されるの、苦手なので」

「わかった。僕も大声は好きじゃない」

富士見伊織には心の支えがいた。身を乗りだして、手を振って挨拶をするほどの親友。契約を破棄する、何かのきっかけにならないだろうか。彼女の親友とも、話がしたいと思った。

その機会はすぐにやってきた。

「なあ高野」

「どうした、自分の席もわからない作楽くん」

「それはもういいんだよ。ところで、ひとの制服って盗みたいと思う？」

昼休み。心の支えにはならないけど、話し相手にはなってくれる高野に意見を聞いてみた。彼は僕の肩に手を置き、まっすぐな目を向けてきた。

「作楽。お前はあれだ。ちょっともう、だめだ。俺の手には負えない。一度診てもらったほうがいい。だいたい、夏休み明けてからお前はなんか雰囲気が違う。まるで中身が別の誰かになったみたいだ」

「心配してくれるのはうれしいが、お前の勘違いだ。ただの仮の話だよ。ちょっとした推理ゲーム。ひとの制服を盗むやつがいるとしたら、どんなやつだろうって。どういう状況がありえるんだろうかって」

「異性のものを盗むなら変態」

「だよな」

「同性のものを盗むなら、嫌がらせだな」

「……なるほど」

　勝手に異性が盗んだものと考えていた。富士見の制服を盗んだのは、同性の女子である可能性もあるのか。何気ない彼女の行動が、誰かの嫉妬や怒りを招いた。

「うちの高校で制服が盗まれるとか、そういう事件は聞いたことないけどな」

　高野の口ぶりからすると、やはり事実は改ざんされているようだ。世界は変わり、富士見の件はなかったことになっている。考えながら、そもそも犯人は学校内にいるとは限らないと気づく。学校に忍び込んだ不審者の可能性もある。富士見の制服が、偶然、どこかの変態の標的になってしまった。

そもそも犯人や真相をつきとめたところで、その先をどうするかは決めていない。それが富士見の契約の破棄につなげられるかどうかもわからない。まだ僕は、方向性を定められずにいた。的の場所はわかったが、それを射るための矢を持っていない。

そのとき、クラスメイトのひとりが僕を呼んだ。

「田越。お客さん」

振り向くと、ドアの前に女子生徒が立っていた。見覚えのある女子。ついさっき見かけた、富士見が「由紀ちゃん」と呼んでいた、彼女の親友だった。

席を立とうとすると、高野がさっきよりも強く肩をつかんできた。

「お前なんだよ。ふざけんなよ。なんだよお客さんって。女子じゃねえか」

「いや、女装している男子かもしれない。遠目じゃわからないから確かめてくる」

「冗談はいいんだよ。お前マジで夏の間に何があった？　ひとが変わり過ぎだ。女子に呼び出されるお前なんてイメージできない。自称成功者が小遣い稼ぎに書いた、毒にも薬にもならないような自己啓発書でも読んだのか？　それ俺に貸せよ」

目が少し怖かったので、早々に振りほどき、無視して女子の待つほうへ向かった。合流し、廊下まで移動する。

「田越作楽くんだよね。わたし、溝口《みぞぐち》由紀」

「さっき、中庭にいたときちらっと見かけた。富士見の親友だろ」

少し焼けた肌も、髪の長さも、雰囲気も、富士見とは似ていない。友達は合わせ鏡というが、彼女と富士見にはどんな共通点があるのだろう。

「伊織がお世話になってたみたいだから、挨拶しておこうと思って」

「富士見はきみをすごく信頼してるみたいだった」

「あの子、引っ込み思案でしょ。だから男子と話してるのを見て、びっくりした。あのあと聞いたら、同じクラスの友達っていうから」

「友達というほど、まだ知りあえてはいないけど」

「ふうん。そなんだ。それで田越くん、きみは伊織を狙ってるの？」

その瞬間、溝口が距離を詰めてくる。僕は壁際に追い詰められる。何かを腹に押し付けられたのがわかった。見下ろすと、ハサミだった。凶器を他人に見られないよう、溝口がさらに体を密着させてくる。溝口の息が肩のあたりにかかる。かすかに届く、制汗剤の匂い。

「なんで伊織なの？　ちょろいと思った？　自分よりも弱そうで、簡単に落とせそうな子に見えたから？　優位に立てると思ったから？」

「ちょ、ちょ……」

言葉が出てこない。姉さんになるためにつけていた、意識の仮面が剝がれる。素の自分があらわになる。恐れている。僕はハサミに脅《おび》えている。余命二か月のくせに。早く仮面をつけなおせ。そして考えろ。彼女はどうしてこんなことをするのか。

「僕は富士見に対して、そういう気持ちは抱いていない」

「本当？　ちょっと性欲のはけ口に使おうとか、そういう目的じゃないの？」

「違うよ。純粋に、放っておけなかっただけだ」

数秒の沈黙。ハサミはまだ、腹につきつけられたまま。嫌疑はまだ晴れていない。裁判は続いている。

しばらく見つめ合ったあと、溝口がこう続けた。

「きみ、葉月さんの弟でしょ？」

「……姉さんのことを知ってるのか」

「知ってる。直接話したことはあまりないけど、あちこちで噂を聞く。うちのテニス部にも助《すけ》っ人《と》で大会に出たことがあるって。すごいよね」

本人がいなくても、この学校にはまだ、姉さんの存在がしっかり息づいている。

「田越って苗字《みようじ》でぴんと来た。あのお姉さんの弟なら、確かに悪いことはしなさそうだね。伊織もなぜか信頼してるみたいだったし。うん、わかった、信じる」

溝口はハサミを僕の腹から離し、スカートのポケットにしまう。気づけば止めていた息を、ようやく吐きだす。

「ごめんね。前にも伊織の弱さにつけこもうとしてた男子がいたから、それからつい習慣になってて。別に本気だったわけじゃないよ。こういうことすると、どん引きして、たいてい逃げていくから」

「富士見がきみを頼る理由がわかった気がする」

「田越くんの言うとおり、なんか放っておけなくて。気づいたら足を踏み外すとか、そういう事態に平気で陥るから」

いまも陥っていることを、溝口は知っているのだろうか。おそらくは把握していない。制服泥棒に関する記憶はC組の生徒からも消えている。溝口も例外ではない。富士見は、親友である彼女にも、隠しごとをしている。

「入学と同時に別クラスになっちゃったからさ。あの子をよろしくね」

「ちなみに、小学校や中学校のころの富士見はどんな風だった？　いまと同じ、目立つのが嫌いな性格だった？」

「うん。低学年のころはもっと元気だったけど、いろいろ出来事が重なって」

「出来事？」

溝口は話すのを一瞬ほどためらった。だが僕が富士見から信頼を得ていることを思い出したのか、もしくは姉さんの存在がよぎったのか、高校より前の富士見について話してくれた。

「初めは授業参観の作文発表。あの子、緊張して嚙《か》んじゃって。お母さんを喜ばせたかったのに、できなかったって、終わったあとに泣いてた」

「タイミングが重なったっていうのは？」

「そのあと、一週間もしないうちに習ってるピアノのコンクールがあって、そこでも大失敗しちゃったの。演奏が途中で止まっちゃった。決定的だったのは、間もあかずにやったクラスの劇の本番で、転んじゃったこと」

そしていまの富士見伊織がある。

ひとが注目しているなかでの失敗の連鎖が、目立つことを極度に嫌う性格をつくり、そこにモーンガータがつけこんだ。制服泥棒の一件で、クラス全体に不信感を抱いた富士見を、C組からB組に移した。校内の生徒、職員、富士見に関わる人間の認識をずらし、現実をねじ曲げた。

制服泥棒の一件をなかったことにすると願う方法もあった。あるいは犯人を見つけたいと願うこともできた。数ある選択肢のなかで、富士見は自分自身が、遠ざかることを選んだ。

事の大きさは関係ない。不条理は誰にでもつきまとう。もしひとの形をしているなら、そいつはきっと髪が長く、金平糖が好きで、つぎはぎのコートを着ている。

帰宅すると、玄関で姉さんと鉢合わせをした。両手に買い物袋を抱えていた。ちょうど姉さんも帰ってきたところだったらしい。

「おかえり、作楽」

「そっちも。買い物行ってたの？」

「うん。夕飯の買い出しと、あと図書館。お父さんもお母さんも仕事遅くなるって連絡があったから、今日はわたしがつくるよ」

会話をしながら姉さんは台所に移動する。買ってきた食材を野菜室、冷凍室、冷蔵室と分別して入れていく。

夕飯ができるのをそのままリビングで待つことにした。食卓は二人で使うには広すぎるので、テレビの前のソファに座り、サイドテーブルに皿を並べていった。夕食はマグロの竜田揚げがメインだった。サラダはサーモンとアボカドを和えたもの。魚が安かったのだと言い訳してくるが、どちらも姉さんの好物だった。

バラエティ番組を見ながら食事を進める。たまに二人でテレビにツッコミを入れながら、箸を止めたりする。そのうち僕が飽きてチャンネルを変えて、極寒の地を生き抜くペンギンの特集を見ていたとき、姉さんが訊いてきた。

「学校はどう？」

「……クラスの女子を助けようとしたり、してなかったり」

「え、なにそれ」

「ある揉《も》め事《ごと》が起きてて、なんとかしてあげたいと思ってるんだけど。本人はあまり大ごとにはしたくないみたいで。どう解決しようか、悩んでる」

嘘は言っていない。真実も言っていない。

「作楽、やっぱり変わったね。たくましくなった」

「そうかな」

「前だったらそういうの、見て見ぬフリだったじゃん。この一か月くらいで、本当に変わった」

「でも、ひとを助けるのって難しいね」

「助けるって、そのひとが生きるのを手伝うってことだしね。だから簡単じゃない。生きるのって、実はとても難しい」

それは僕にはない物事の見方だった。どれだけ考えても出てこない言葉だった。まだまだ姉さんにはなれていないのだと、実感する。そして何より、生きるのは難しいと、そんなことを姉さんの口から言わせる自分が、嫌になる。

姉さんは続けた。

「作楽に比べてわたしは、なんだかふ抜けになっちゃってるね。夏休み明けから学校、通おうと思ってたんだけど、まだ踏ん切りつかなくて」

横目で姉さんの様子を窺う。姿勢は猫背で、どこか眠たげな表情。髪はところどころ跳ねている。事故が起こる前の、凜々しかった姉さんの姿は、かけらもない。僕が姉さんを生き返らせたとき、死の淵《ふち》から、何かを置き忘れて戻ってきたのではないか。そういう疑念を、僕はたびたび抱いている。

「大丈夫。姉さんは僕と違って、ちゃんと目標があるだろう」

「教師のこと？　一応、勉強は続けてるけど。でも教師になる前に、いろいろ見ておきたいし、経験したいこともたくさんある。生徒になる子たちに、話せるように」

「そのためには、少しくらい遠まわりをしたっていい。この休息のことだって話せばいい。成功体験ばかりじゃひとは飽きるし、僕みたいにヘソを曲げてひねくれる生徒だって出てくる」

からかうと、姉さんが笑って小突いてきた。

「やさしいね作楽は。本当に変わった」

「そんなことないよ。今日だって姉さんに助けられた」

内容は明かさなかった。理由を聞かれたが、秘密と濁した。姉さんはまたくすぐったそうに笑ったあと、追及するのをやめてくれた。溝口から富士見のことを聞き出せたのは、姉さんの評判があったおかげだ。僕は姉さんのいない学校で、姉さんが得た信頼を利用している。

「励ましてもらったお礼に、わたしからも一つアドバイス。さっきの揉め事の、解決方法を提案」

「それってどんな？」

「誰だって揉め事が想定以上に大きくなって、注目を浴びるのは嫌だよね。ああいうのって、当事者から遠ざかってる人ほど大きく騒ぐものだし。何かに対して、悪いとか正しいとか、自分の意見を主張するのって気持ちが良いから」

「うん」

「だからまず、みんなの目を別の話題に移してあげればいい。別の議論を提示してあげればいい。そしてその間に、ひっそりと揉め事を解決し、幕を下ろす」

「別の話題って、たとえば？」

「そんな派手なことじゃなくてもいいんだよ。注意が引ければそれで。ほんの小さなイベントだけでも効果はあると思う。なるべく長く議論ができるものがいいんじゃないかな？　中身は自分で考えなさい」

気づけば猫背だった姿勢がピンと伸び、いつもの凜々しい姉さんがいた。眠たげに開いていた目も、いまは僕をしっかりと見つめてくる。姉さんは確かにそこにいる。

「ありがとう、姉さん」

「こっちこそ。報告、楽しみにしてる」

方向性が決まった。アプローチが定まった。ようやく矢を一本、手にできた。視界が晴れて、マグロの竜田揚げが美味しかった。

明日、一番に富士見と話すことにしよう。

†

部屋を出る前、卓上カレンダーを取り、昨日の日付に斜線を引く。残りは七〇日。姉さんの部屋に移動し、いつものルーティンをこなし、家を出る。

教室につくと、富士見はすでに自分の席に座っていた。文庫本に熱中していて、こちらに気づかない。読書女子というのはイメージ通りだ。驚かせないよう、そっと遠くから、おはようと声をかけた。富士見はすぐに反応し、お辞儀を返してくれた。

「昨日は話を聞かせてくれて、ありがとう」

「いえ。同じ境遇のひとと話せて、私もうれしかったです」

「その話の続きで、富士見に提案がある」

「なんですか？」

「昨日も言ったけど、僕はきみの助けになりたい。モーンガータの力を借りなくても、普通に日々を過ごせるようになると思ってる」

富士見は答えない。僕は続ける。

「僕はいま、あるひとを手本にして、残りの命を生きている。そのひとなら、きみを助けると思った。だから僕は見過ごせない」

「……田越くんだって、自分の契約を残し続けているじゃないですか」

「うん。ひとのことをあれこれ言う資格すら、本当はない。でも、富士見には僕のように、取り返しがつかない状態になってほしくない」

「ほかに方法が、見つからないんです」

富士見はうつむいてしまう。彼女にとっては、早く忘れてしまいたいことだろう。もうすでに、解決したことにして、先に進んでしまいたい事実だろう。僕がやろうとしているのは、その肩をつかみ、無理やり過去のほうへと振り向かせようとする行為だ。姉さんならもっとやさしくできるかもしれない。もっと上手《うま》く、富士見を怯えさせることなく、導けるかもしれない。だけど反省は後回しだ。いまの僕にしか、できないことをする。

「わ、私だって、このまま寿命を払い続けるのは嫌です。でも、あの教室に戻りたくない。みんなに騒がれたくない。自分さえいなければ、きっと世界はほんの少し平和になるから……」

「解決できる方法を思いついたと言ったら？」

「え？」

「僕がみんなの注目をそらす。制服泥棒から、別の話題に。その間に犯人を見つける。この件を解決してみせる。なかったことにするんじゃなくて、物事を前に進めさせよう。きみに悪目立ちはさせない。期待に添えなかったら、このことはもう忘れてくれていい。きみの好きにしていい。でも、もしチャンスをくれるなら」

姉さんの言葉を思い出す。自然と、口をついで出る。

「きみが生きるのを、僕に手伝わせてほしい」

富士見の目を見つめる。髪の間に隠れた、その瞳。助けを求めて、すがるような感情が、そこに隠れていた。自分に注目する人はいない。そして代わりに、自分を見てくれる人もいない。そんな教室で彼女は一人だった。一番大事な溝口にも、頼ることができなかった。

「私は何を、すればいいですか」

ようやく引き出せた言葉。喜ぶのはあとだ。かみしめるのはまだだ。彼女を怯えさせないよう、そっと続ける。

「犯人を捜すには、まずこの世界を元に戻す必要がある。犯人は自分が盗んだ記憶を失っている状態だ。なぜなら」

「私がここにいるから。モーンガータと取引を続けているから。契約書をずっと破らず、守っているから」

富士見は机のへりをつかみ、こう続けた。

「これなんです。私の契約書」

「これって、つまり、机が？」

昨日、彼女が言っていた言葉を思い出す。身につけられないほど重くて、でも、安全な場所にある。なくすことはない。なるほど、その通りだ。簡単なことだった。教室に増えた席は、それそのものが『契約書』、彼女の心の象徴だったのだ。

「その机を、富士見の手で壊す必要がある」

「どうやって壊せばいいんでしょう？」

破壊する意思があれば、極論、方法はなんでもいい。机に向かって拳をふるって壊すこともできるだろう。だけど、怪我をしないとも言い切れない。僕も契約書の仕組みは、まだよくわかっていない。そこまで考えて、ひとつ思いついた。

「手っとり早い方法がある」

「なんですか？」

僕は富士見にそっと耳打ちをする。提案を聞いた直後、富士見は戸惑い、首が千切れるんじゃないかというくらい横に振って拒否をしたが、最後には納得してくれた。そして実行のタイミングを二人で決めて、朝の時間が終わった。

昼休み前の最後の授業、残り一〇分を切ったところで、とうとうタイミングがやってくる。僕と富士見は目を合わせ、そっとうなずきあった。

まず、僕が席を立つ。教師に「どうした?」と言われてもひたすら無視を続けて、教壇近くまで移動し、一番近い窓を開ける。それを合図に富士見が動き出す。

「何する気だ」「富士見がおかしくなった!」「この二人、やばいぞ」

生徒が騒ぎだしても、富士見には僕だけを見るように伝えていた。彼女は自分の机を持ち上げ、移動してくる。腰のあたりの高さまで抱え、よろよろと進む。生徒がさらに騒ぐと、ひるんだのか、富士見が一度机を下ろしてしまう。

もう後戻りはできない。ここでやめればすべて台無しだ。彼女も同じように理解したようで、声をかける前に、再び自分で机を持ち上げた。

そして、そのまま助走をつけて。

「いけ。富士見」

窓から机を、放り投げた。

机が若干の放物線を描き、きれいに落下していく。途中で光をまとい、形が崩れていくのが見えた。

契約書が破棄され、改ざんされた世界が、元に戻る。

まばたきをした一瞬の間に、僕は席に戻っていた。さっきまで窓際で立っていた状態からいきなり座った格好になったので、脳が追いつかず、体勢が大きく崩れてしまった。机のうえにあった教科書とノートが床に散らばる。思わぬ騒音になり、教師やまわりのクラスメイトの視線を引き付けてしまう。

謝るふりをしながら見回す。教室に富士見はいなかった。机ひとつ分が消えたことで、僕が本来認識していた席の並びに戻っていた。

契約書を破棄したことで、叶えていた願いの結果も消えた。富士見はC組に戻っている。一刻も早く、制服泥棒の件を解決してやらないといけない。

覚悟を決めたところでチャイムが鳴った。昼休みが始まると同時、僕は教室から飛び出し、C組に向かう。契約書の破棄をあのタイミングにしてもらったのは、こうして僕がすぐに動き出せるようにするためだった。

C組の教室に入る。注目を集めるために教壇に移動している間、あちこちから会話が聞こえてきた。内容はどれも制服泥棒のものだった。

「やっぱりあたし、体育の先生があやしいと思うんだよね。あいつ授業中、一瞬だけ消えたときがあったじゃん。その隙に盗んだんだよ」「最近、学校のまわりに不審者が出るんだってさ。そいつが侵入して、ぐうぜんこの教室を見つけたんだよ。で、富士見さんの制服を盗んだ」「うわやだ最悪、それって本当可哀想。許せない」「そう言いつつ、このクラスの誰かがやったかもしれない」「いまごろ富士見の制服を着て、部屋の鏡を見てる変態がいるかも」

なるほど。これは確かに嫌になる。ずっとここにいれば体調が崩れそうだ。注目を嫌う富士見であれば、なおさら不快だろう。こんなことが何日も続いていたのだ。

だからこそ、終わらせる。意識をそらす。

「失礼します」

大げさな声と、丁寧な姿勢で挨拶する。全員の意識が、教壇に立つ僕に向かう。窓際の席でうつむいていた富士見も顔を上げて、ようやく僕に気づいた。手を振る代わりに、目を見てうなずいた。

「文化祭実行委員のものです。今日はアンケートを取りに伺いました」

「アンケート？」近くの女子生徒から声があがる。

「そうです。あと一か月と少しで文化祭が始まりますよね。そのコンセプト決めをしたいのです。そこでぜひ意見を伺えれば。ざっくばらんに、どんなものでもいいです。要望、提案など。こういう雰囲気にしたい。こんな風に盛り上げたい」

「去年、こんなことあったっけ？　これってあなた一人で聞いて回ってるの？」女子の一人が言った。

「ほかの実行委員は？」男子が続いた。

「アンケート用紙みたいなのは用意してないの？　まさか一人ずつ聞いていく気？」別の女子がさらに続いた。

焦る。思った以上に、根掘り葉掘り聞いてくる。想定していない量の質問が次々と飛んでくる。答えるたびにボロが出てしまう気がした。

そのとき、僕の横に、見知った女子が並んできた。

「このクラスのアンケートは、彼とわたしでやりまーす。事前に報告してなくてごめんね」

ジャージ姿の、スポーツ女子。少し肌の焼けた、快活な雰囲気の子。富士見の親友である溝口だった。やはりクラスメイトの言葉の信用度は違うのか、彼女の言葉で教室中の空気が緩和されるのがわかった。

「ありがとう、助かった」そっと耳打ちする。

「きみ、何しにきたの？　ていうかどこで知り合ったんだっけ。なんでわたし、きみの名前を知ってるんだろ」

「つい昨日、知り合ったよ」

「あ、……ああ、そうだった。うん、思い出した。伊織の知り合いとか、そんな話を聞いた気がする。昨日のことなのに、どうして忘れてたんだろ」

改ざんされた世界が戻り、富士見がB組にいたことがなかったことになっても、溝口には僕と会話した記憶が残っていたようだった。基準はわからない。けど、このあいまいな感じも、モーンガータを相手にしているなら受け入れるしかない。

「それで、あんな大声を張り上げて嘘ついて、何しにきたの？」

「僕が文化祭実行委員じゃないってどうしてわかるんだ？」

「あたしが本物の文化祭実行委員だから。ちなみにアンケートは取らない」

実行委員が溝口以外の生徒だったら、僕はいきなり怪しまれておしまいだった。

「みんなの気をそらすのが目的なんだ。少しの間だけ。文化祭のことで盛り上がってもらって、その間に犯人を捜す」

「……犯人って、まさか伊織の」

「制服泥棒がどこにいるかはわからない。けど、まずは身近なところから捜していこうかと思っている」

このクラスでも噂している通り、犯人にはいくつかの可能性がある。外部から不審者が侵入したのかもしれないし、考えたくないが、教師の誰かが盗んだ可能性もある。ほかのクラスの生徒も含めれば、学校全体まで範囲が広がる。

僕は物語のなかに登場するような魅力的な探偵ではないし、わずかな手掛かりから何かをひらめくことも、もちろんできない。けど、やれることは全部やる。何をするか考える前に、動くしかなかった。いまの僕には、考える時間すら惜しい。

富士見の制服を盗んだやつには、偶然富士見の制服を盗んだパターンと、意図的に富士見の制服を盗んだパターンの二つがあると思っている。僕は意図的に富士見の制服を盗んだ線から、捜すことにしていた。理由は特にない。強いて言えば、そちらのパターンのほうが、悪意が強いからだろうか。

「わかった。また怪しまれたり、何かあったら呼んで。伊織とご飯食べてる」

「ありがとう」

「それと、犯人、見つけたら教えてね」

溝口は言う。

「ただじゃおかない」

ハサミを押し付けられた、あの瞬間を思い出す。彼女なら何をしてもおかしくない。どんな結果がもたらされるか、あまり想像したくなかった。せっかく犯人を見つけ出しても、場合によっては別のトラブルが発生する可能性も、なくはない。

ひとまず話題をそらすことはできた。とはいえ、文化祭の議論も長くは注目をひけないだろう。犯人捜しが長引けば、別の話題を用意する必要がある。

どうしても思いつかなければ、最後は裸で廊下でも走ってやろうと思う。

昼休みをフルに使って、Ｃ組全員と会話を交わした。キャンプファイアを盛大にしたいとか、生徒だけで盛り上がる後夜祭の時間をもっと延長してほしいとか、客を驚かせすぎて事故を起こし、それ以来中止になっているというお化け屋敷《やしき》を復活させてほしいとか、そんな要望を聞きつつ、僕はさりげなく生徒の反応を観察していった。

話していくうち、クラスにはいくつかのグループがあって、ある女子のグループが富士見に対してあまり良いイメージを抱いていないことがわかった。僕がクラスの部外者ということもあって、その部分は話を脱線させながら、いろいろ教えてくれた。倉石《くらいし》くんという男子が富士見に好意を持っているらしいが、その倉石くんは、グループの他の女子が想《おも》っている相手でもあったらしい。富士見の知らないところで、いろいろとこじれているようだった。

いくつか手がかりになりそうな話は聞けたものの、これだという、決定的な証拠が見つかることはなかった。

昼休みが終わってから僕は自分の教室には戻らず、学校を出て周囲を歩いた。外部からの不審者の可能性を考えて、それらしい人がいないかを捜した。サボった授業のことが一瞬だけ頭をよぎったが、振り払う。

噂になっている体育教師にも探りをいれた。授業で留守の間をついて職員室に入り、落とし物を預かってもらっていると説明して、問題の先生の机を捜索した。何かこの先生の変態性を示すものはないかと、こっそりのぞいた引き出しから、箱に入った婚約指輪を見つけてしまい、気まずい空気になった。近くにいた数学教師から、彼は近々、保健の先生にプロポーズをする予定なのだと教えてもらった。意味のない情報と罪悪感だけが増えて、結局空ぶりに終わり、そのまま授業終了のチャイムが鳴った。

時計を見ると、放課後の時刻になっていた。いまのが最後の授業だったらしい。一度教室に戻ることにした。携帯を開くと高野から一件メッセージが入っていた。どうせ冷やかしだろうから無視した。

教室に戻ると誰もいなかった。席に戻り、机の横にかけた鞄を手に取る。

そこで違和感に気づいた。鞄がやけに、膨らんでいたのだ。僕はこんなにパンパンになるまで自分の鞄にものは詰め込まない。

持ち上げてみると、見た目の割に重さはなく、わずかに開いたチャックの隙間から、白い布地がはみ出ているのに気づく。

おそるおそる開けて、自分の鞄のなかに入っていたそれを、取りだす。

「どうして……」

制服だった。

ワイシャツと、スカート一式。女子生徒の制服。

そのとき、ドアのほうで物音がした。振り返ると、鞄を落とした富士見が、呆然《ぼうぜん》とした表情で立っていた。

「あ、あの、様子を見にこようと。なにか、進展あったかなって。でも」

「富士見、これは僕じゃ……」

言い終える前に、富士見が走って逃げてしまった。追いかけようと思ったが、足がすくんで動けなかった。

自分に向けられた悪意に、僕は混乱するだけだった。

後ろに気配があって、振り向くと、モーンガータがいた。窓際にある生徒の机をイスにして、足をぶらぶらと投げだしている。新しく履いている紫色のブーツが恐ろしいほど似合っていない。

「やあ変態。どうやらピンチみたいだね」

「お前がこれをやったんだろ」

「オレはそんなことしないよ」

また一人称を変えたらしい。いまはそんなことどうでもいい。

「退屈だから僕をからかったんだろ。鞄に制服を詰め込んで」

「だからそんなことしないって。もしオレなら、きみに直接その制服を着させて、富士見伊織の前に立たせるね」

確かにそうかもしれない。犯人はモーンガータじゃない。こいつはただ、いまの追いつめられた僕の状況を面白がって、からかいにきただけだった。

「犯人の目星はつかない。それどころか、逆にだしぬかれて濡《ぬ》れ衣《ぎぬ》まで着せられる始末。富士見伊織からの信頼もどうやら失ったようだ。きみはどうするつもりだ？」

「……なるほど。お前がわざわざ現れた理由がわかった」

「オレなら犯人を教えてやれる。そうだな、寿命三時間分でいいよ。たったそれだけ。大サービス。どうだい？」

「一秒だってお前にはやらない」

「まあそう言うよね。知ってたけど」

いくつもあるポケットのうちの一つを探り、なかから金平糖をひとつかみ出して食べ始める。静かな教室に、石を砕くような咀嚼音が響く。

「お前は真相を知ってるのか」

「ぜんぶ。何もかも。だけどオレの言葉や言動から手がかりを探すのは無駄だからやめておけ。金平糖の角を数えるくらい不毛なことだ」

モーンガータが窓を開ける。入ってくる風が怪物の髪を揺らす。普通の人間の髪ではありえないような、不自然な動きをしている。

「どこにいく」

「次の営業先さ。明日のいまごろ、きみはまた、オレにつかみかかろうとしてるんじゃないかな。それじゃ、お楽しみに」

不穏な言葉を残して飛び降り、去っていった。

持ち帰った富士見の制服を鞄から出し、紙袋に移し替える。モーンガータがやったのではないとしたら、誰が僕の鞄に制服を入れたのだろう。富士見の教室にいた誰かだろうか。それとも職員室にいた教員か。今日一日、接触した人物が多すぎて、絞り込めない。

「作楽、いる？」

ドアが開く。鍵をかけるのを忘れていた。飛び上がる僕を見て、姉さんが笑う。それから鋭く察してくる。

「いま何か隠したでしょ」

「何も隠してないよ。用事はなに？」

「今度の休日、図書館で探しものを一緒に手伝ってもらいたいんだけど」

「もちろんいいよ。空けておく」

「で、何を隠したの？」

「隠してないってば」

姉さんが容赦なく部屋に入ってくる。背中に隠した紙袋の中身を見つけるのも、時間の問題だった。苦し紛れに体の向きを変えてみたが、無駄な抵抗だった。観念して姉さんに話す言い訳を考えることにした。

「紙袋を隠してたの？　この紙袋がなんなの？」

「いや、その、中身が」

「中身なんてないけど？」

え？　と、間抜けな声が出る。振り返り、確認すると、紙袋のなかから制服が消えていた。抵抗した拍子にベッドか床にでも落ちたかと思い、あたりを探す。取り出したばかりの鞄も見てみたが、制服はどこにもなかった。跡形もなく消えていた。

嫌な予感がした。そして実際、その通りになった。

†

卓上カレンダーを取り、昨日の日付に斜線を引く。残り六九日。姉さんの部屋に移動し、いつものルーティンをこなし、家を出る。

富士見に会ったらどう説明しようかずっと考えていた。素直に誤解であることを一番に伝えるべきだった。あの動揺ぶりは、完全に僕を疑っているだろう。そもそも今日、学校に来ているかどうかもわからない。

決めあぐねている間に、階段を上り切り、教室のある二階につく。ひとまず、富士見のいるＣ組ではなく、自分の教室を目指すことにした。

ドアを開けて、席を目指そうとしたそのときだった。

壁際、一番前の席に富士見が座っていた。

「おはようございます、田越くん」

入りかけた教室を出て、入口にかかっているプレートを見る。確かにＢ組となっている。ここは僕の教室だった。急いで富士見に詰め寄る。

「またこっちに移動してきたのか。モーンガータと取引を？　自分をＣ組から消して、みんなの記憶をまた改ざんして」

「いえ、今回はちょっと違います」

富士見の表情には余裕があった。だけどそれは幸福で清々《すがすが》しい顔というよりは、すべてを投げだし、考えることをやめたような、空っぽの笑顔だった。

今回は少し違うと彼女は言った。違うとは何のことだろう。もしも前回より、悪化した結果を招いているのだとしたら。そこまで考えて、ある予想が浮かんだ。

僕はおそるおそる、もう一度、廊下に出る。

そして気づいた。Ｂ組の奥からずっと続く、その壁を。

文化祭の告知や部活動の勧誘、委員会の活動報告、学校側からの行事や設備点検のお知らせ。そんなポスターが並ぶ、昨日まではなかった掲示板。

ここにあったC組が。

教室ごと、跡形もなく消えていた。

ドアも、窓も、黒板も、生徒の机も、何もかもが、なかったことになっていた。一年生は、A組とB組だけになっていた。彼女以外の、C組の生徒が全員、いなくなっていた。消した。彼女は消した。ぜんぶ消した。制服泥棒の件もなかったことになり、だから僕の部屋から、制服も消えた。

富士見のもとに駆け戻る。彼女は変わらず、乾いた笑顔で出迎えた。

「これでぜんぶ、解決しました」


林を抜け、開けた空間に出る。乾いた地面に、生気のない雑草。その奥にある教会跡地。生暖かく、湿った空気が停滞している。

「モーンガータ。見てるなら出てこい」

「そんな大声をだすなよ。祝杯の二日酔いに響く」

振り返ると、近くの木の根元にやつがいた。ロッキングチェアに腰かけ、ティーカップを片手に、優雅に足を組んでいる。そばに置かれた丸く白いガーデンテーブルのうえには、他にもティーカップのセットがひとつ。それから無数の金平糖。

モーンガータが金平糖の入った袋を切り開ける。握られているのは、凝った装飾がほどこされた銀の短剣だった。西洋の古い歴史のなかから、盗み出してきたような印象を受ける。ナイフよりも大きく、包丁よりも頑丈そうなつくり。

「富士見に何をした」

「別に何もしてない。ただ頼まれただけ。頼られそうだったから、近くでささやいてやっただけ。『C組を消してくれ』っていう願いには驚いたけどね」

モーンガータが紅茶を飲もうと、ティーカップに口を近付ける。よく見るとそこに入っているのは紅茶ではなく、黒い塊だった。水気を帯び、光を反射する塊。ひとの魂。

「彼女の寿命三年分。簡単に手に入った」

寿命の一部。

「いますぐ返せ」

モーンガータは僕の目の前でカップをあおる。富士見伊織の魂が、その寿命が、モーンガータの体内にとりこまれる。栄養となる。

視線を逃がした先、置かれたガーデンテーブルの端に、何かがこびりついているのを見つける。最初はこぼした紅茶がついているのかと思った。だけど違った。それは乾いた血だった。

同じ汚れを、ロッキングチェアのひじ掛けにも見つけて、言葉を失った。モーンガータの手で隠れていた、取っ手の部分にも血がついていた。姉さんを轢いた車の下から、ゆっくり流れ出てきた血が、頭をよぎる。僕の靴を濡らしていった、あの血。黒い赤。汚れた赤。濁った赤。

「今日、寿命を迎えるやつが数人いてね。所持している契約書は、基本的に私が保管することになってる。苦労して回収した甲斐《かい》があったよ。おかげできみのその顔を見ることができた」

「この家具は、ぜんぶ……」

「四人分。それぞれの契約書だ。富士見伊織一人に手こずっている間に、きみは四人の命を取りこぼしたことになる。残念だったね。こんなにたくさん死んじゃって。でもそんなものだよ、きみ一人の力なんて」

顔つきが変わる。笑っても、睨《にら》んできてもいない。

ただの無表情で、淡々と、事実をつきつけてくる。言葉をぶつけられなくても、何を語ってきているかがわかった。あきらめろよ。目障りなんだよ。お前の努力はすべて無駄なんだよ。

演出と表現するには、あまりにも生易しい。脅し。脅迫。僕の心を、こいつは折りにきている。直接危害を加えられない代わりに、心を殴りにきた。叩き潰し、二度と立ち上がれなくしようとしてきた。

「きみは私をいつも悪者みたいに言うけどね、心外もいいところだ。私は求められたから提供しただけ。頼まれたから願いを叶えただけだ。その対価として寿命をいただく。最初に説明しているし、わざわざ証明だってしている。需要に対して供給している。利害が一致している。ビジネスなんだよ、それの何が悪い？」

　ここぞとばかりに、モーンガータは僕に圧をかけてくる。この瞬間をずっと待ちわびていて、それをいま楽しんでいる。その攻撃は、とても効果的だった。

「こちらから一度でも魂をよこせと強要したか？　取引を結ぶよう脅したことがあるか？　ない。そんなことは一度もない。私はただそこにいただけだ。選んだのはきみたちだ。ガキが甘えるなよ。自分の行動くらい、自分で責任持てよ」

　言葉を返せなかった。口を開けば、冷静でいられる自信がなかったから。拳を握り、ただ、目をそらさないよう、必死に睨むことしかできなかった。

　いまこの場でどれだけ喚《わめ》こうが、結果は変わらない。僕は失敗した。富士見の期待に応えられず、それどころか、事態をさらに悪くしてしまった。僕が富士見一人を救おうとしている間に、こいつはあっさりと四人の命を奪った。

　だめなのか。やはり僕ではだめなのか。姉さんにはなれないのか。少しの役にも立つことなく、この命が尽きるのか。心はこいつに折られ、そして朽ちていくのか。

「まあそう落ち込むなよ。誤解もとけてるみたいで、よかったじゃないか。少なくとも、きみは富士見伊織から制服泥棒だとは思われていないってことだ」

「え?」

「……あ、ごめん違うなんでもない。忘れて。いまのなし」

モーンガータが急に顔をそらす。指をならし、ガーデンテーブルとイスを消し去り、退散しようとする。こいつは人でなしの化け物だが、嘘をつくのは下手だった。

その姿が消えても、僕は残り、考え続けた。いまの言葉にヒントがある。

富士見は僕を犯人だと勘違いしなかった。僕が犯人だと思っているなら、僕の存在を消せばいいのだから。C組を消す理由がない。同じB組に移ってくる意味がない。クラスがまるごと一つ消えるという派手な変化ばかりに気を取られていたけど、僕は大事なことを、見落としている。

僕の鞄のなかに富士見の制服が入っていた。勘違いしてもおかしくない決定的な場面でも、僕を犯人だと富士見は誤解しなかった。

青ざめた表情をしていたのは、何か別の答えをつかんでいたからだったとしたら、どうだろう。

答えは富士見の行動に隠されている。自分を消すのではなく、クラスをまるごと消したという、あの願いに隠されている。どうして彼女は、あそこまでする必要があったのか。C組のなかに犯人がいて、それをつきとめたから？　だとしても――

「……あ」

ひとつだけ、あった。富士見がクラスをまるごと消す理由。自分を守るのではなく、相手を排除するという、過激な行動にでた理由。

助けられるかもしれない。

まだ、手遅れではないかもしれない。


クラスが消え、壁になったそこに富士見は立っていた。ボーっとした表情で、掲示板を見上げている。近づくと、彼女は僕に気づいて微笑んだ。

「富士見、いまならまだ全部戻せる」

「何の話ですか？　私は掲示板を見ていただけです。文化祭、楽しみですよね」

「こんなことしちゃ、だめだ」

「元C組のクラスメイトたちは死んだわけじゃありません。モーンガータが言うには別の学校で別の生活を送っていることになっているそうです」

「きみがクラスを消した理由がわかった。制服泥棒の犯人も、ぜんぶ。僕が見つけ出す、なんて豪語したけど、なんてことはない、結局きみのほうが早くつきとめた」

そう。僕のほうが早く気づいていれば、彼女はこんな選択をせずに済んだかもしれない。数年の寿命を、失わずに済んだかもしれない。あの死神に頼らずに済んだかもしれない。考えれば考えるほど、押しつぶされそうになる。だけどまだ間に合う。

「きみは自分のそばから制服泥棒を遠ざけたかった。だから犯人を消すことにした。いなかったことにしようとした」

「……やめて」

「普通なら、犯人一人を元々いなかったことにすれば、それに紐《ひも》づいて制服泥棒の件もなかったことになる。C組の生徒の記憶はまた改ざんされる。それで解決する方法もとれた。だけどそうしなかった。それはなぜか。きみが犯人に情を抱いたからだ。犯人を消すことに罪悪感を抱いたからだ」

犯人一人だけを消すことをためらい。

だからいっそのこと、クラス丸ごと。

「C組のなかできみが慕っている生徒は多くない。知りあったばかりの僕でも、きみがクラスのなかで情を抱く相手が誰か、すぐにわかった」

「お願いだから、言わないで」

僕はその名前を口にする。

「制服泥棒の正体は、きみの親友の溝口由紀だ」

富士見は僕の鞄に制服が入っているのを見つけた瞬間、その可能性に気づいたのだと明かした。まっさきに溝口の顔が浮かび、どうしていいかわからず、逃げだしてしまった。

「田越くんの席の位置を知ってたのは、由紀ちゃんだけだから。私が教えたんです。どんなひとか教えてほしいっていうから、席の位置を」

もちろん溝口以外のほかの生徒が、僕のクラスの誰かに席を教えてもらい、隠すことも不可能じゃない。だけどC組の生徒たちは、そもそも僕の名前すらも知らない。A組の生徒なのか、B組の生徒なのかもわかっていない。僕は昼休み以降、一度も教室に戻らなかったし、授業の合間の休み時間に僕の名前をつきとめ、どのクラスか調べ、かつ席を見つけるというのは、あまり現実的じゃない。僕と唯一の接点があった富士見から教えてもらった、溝口以外は。

「怖かったんです。そうだとわかったとき、わけがわからなくて。どうして由紀ちゃんが私の制服を盗《と》ったのか。理由はなんだったのか。聞くのが怖かった。もし、いままでずっと嫌われていたら？　何もできなくて、足を引っ張ってばかりの私にうっぷんがたまって、憎んでやったんだって言われたら？　そんなの、耐えられません」

「いや、僕は逆だと思ってる」

「え？」

「きみを嫌ってやったことじゃない。溝口は、きみに寄ってこようとする男子がいれば、自分の体すら犠牲にして守ろうとする、そういう女子だ」

溝口が彼女の制服を盗った理由が、なんとなくわかった気がした。嫌う嫌わないの問題のほうが、もしかしたら、ある意味では簡単だったかもしれない。富士見は、より複雑な問題と向き合う必要があるのかもしれない。

「溝口は、きみの大切な親友なんだろう？」

「……小学校のころ、最初に仲良くなったのが由紀ちゃんでした。私が落ち込んだとき、はげましてくれたのは由紀ちゃんでした。なぐさめて、そばにいてくれたのは由紀ちゃんでした。守ってもらってばっかりで、迷惑かけてばかりで」

「彼女の言葉を、聞いてみないか」

いまならかけるべき言葉がわかった。

「そばにいるから。溝口には敵《かな》わないかもしれないけど、僕もきみの味方だよ」

富士見の目には涙が溜《た》まっていた。これから向き合う真実が怖いのか、それとも、安心してくれているからか。僕は富士見の決断を待ち続ける。

やがて富士見が、掲示板のポスターのひとつをはがし始めた。その裏面に、テープで張り付けられたそれが姿を現す。なるほど、さっきまで掲示板の前にいたのは、自分の持ち物を隠すためだったのだ。

富士見が見せてきたのは、ポスター一枚分の裏にちょうど隠れるサイズの、小さなプラスチックプレートだった。教室のドア近くに備え付けてある、クラスの名前が入ったプレート。黒の少しかすれたインクで、『1－C』と刻まれている。いなくなったC組。幻のプレート。それが今回の、彼女の契約書。

富士見はプレートを持つ手に力を入れる。少しずつ、表面にヒビが入っていく。

プレートが縦に割れると同時、とつぜんの光に目がくらみ、思わず目を閉じた。

次に開くころには、目の前にC組の教室があった。すべて戻っていた。授業前の喧噪《けんそう》にわく生徒たち。いなかったことにされていた彼らが、帰ってきている。

富士見が教室に向かおうとすると、なかから溝口が出てきた。

「……伊織？　どしたの？」

隣にいる僕を見て、溝口の顔がわずかに曇った。富士見はしゃべりだすまでに、少し時間がかかった。

「由紀ちゃん。私、わかってる」

「わかってるって何が？」

「制服を盗ったのは、由紀ちゃんでしょ」

「はあ？　なにそれ？」

溝口が笑う。

「伊織も面白いこと言うなぁ。そんなわけないじゃん。だって、どうしてわたしがそんなことするの？」

たじろがない。

惑わされない。僕も、そして富士見も。

溝口の浮かべていた笑顔に、しだいにほころびが現れ始める。

「伊織、田越くんに何か吹き込まれた？　わたしが伊織を困らせるようなこと、するわけないじゃん。だめだよ、そんな男信じちゃ。だってそんなの……」

富士見は溝口から目をそらさない。彼女はもう覚悟を決めていた。そして溝口も、富士見が揺れないことに気づいたようだった。

そしてとうとう、仮面が崩れた。

「わたしだって！　盗るつもりなんか、なかった！　だけどあの日、たまたま一人だけ先に教室に戻って、それで、伊織の制服が目について……っ」

あふれればもう、とまらない。溝口はひたすら感情をぶつけてくる。富士見は逃げ出さない。受け止める。僕もそばにいる。約束したから。

「しょうがないじゃん！　好きなんだもん！　理屈じゃないんだもん！　わかってるよ、理解されないってことくらい！　だから隠すしかないじゃん！　ずっと、バレないように、そばにいるしかないじゃん！」

溝口は続ける。

「制服が盗まれたら、騒ぎになることは、なんとなくわかってた。でも、それで伊織がわたしを頼ってくれたら、助けてって言ってくれたら、それでうれしくて……」

少し前、高野と会話していた推理ごっこのことを思い出す。僕は彼と犯人のパターンをいくつか挙げていた。異性からの好意による行動。同性からの嫉妬による行動。そして、あのとき語られなかった三つ目がある。同性からの、好意による行動。

「由紀ちゃん……」

「いやだ、いやだ、もうこんなの、いやだ」

溝口がその場でへたりこむ。涙を流し続け、ぬぐっても、とまらない様子だった。廊下を歩く数人の生徒が、何事かと眉をひそめて、通り過ぎていく。

溝口は想いを語った。理由を話した。あとは富士見が、どう受け取るかだった。

「由紀ちゃん、私は」

そのとき、僕たちの間に、強い風が通り抜けた。

富士見の髪がなびき、溝口の涙が乾いていく。目をほそめ、見つめる先に、そいつが現れた。

「こんにちは。お困りかな?」

モーンガータがささやく。

床につくほどの長い黒髪。ところどころの束が反射して、宇宙のようなきらめきを見せる。麻色のコートに、さまざま色をごちゃまぜにした、つぎはぎの布。無数のポケット。あまりにも場違いな格好と姿に、溝口はあっけに取られている。

「あなた、誰？」

「私はモーンガータ。溝口由紀、あなたのピンチに駆け付けたヒーローだよ。あれ、ヒロインかな？　まあ、どっちでもいいや」

「溝口、耳を貸すな」僕が言った。

「由紀ちゃん、だめ、無視して！」富士見が続く。

「外野がうるさいね。落ち着いたところで二人で話さないか？」

このタイミングでやってくるなんて。空気をことごとく読まない。いや、むしろ狙ってやってきたのだ。さらに寿命を搾取するために。

「も、モーンガータ？」

溝口の視線は死神に引きつけられている。

「私ならいまのきみの悩みを解決してあげられる。制服泥棒の件も、富士見伊織にバレてしまったことも、ぜんぶなかったことにできる」

「だめだ、溝口」

僕と富士見が必死に声をかけるが、耳には届いていないようだった。冷静な状態なら、いくらでもモーンガータを怪しむことはできる。だけどいまの溝口に余裕はなかった。その心に、つけこまれている。

「溝口、そいつと関わると後悔する。絶対に、取引なんてしちゃだめだ。富士見の言葉を聞くべきだ」

「溝口由紀。きみが望むならそこのうっとうしい男だって消し飛ばしてやれる」

モーンガータが手を差し出す。止めようと近づくが、僕の腕はモーンガータをつかむことなく、通り抜けてしまう。その異様な光景で、モーンガータの神秘性にかえって説得力を与えてしまったらしく、溝口は救いを求めるように、やがて右腕をあげはじめた。

「さあ。きみを救ってみせよう。きみには救われる資格がある。きみが傷つき、悩むなんて、この世の中のほうが間違ってる。だから世の中を変えてやろう」

どうする。止めなくてはいけない。でもどうやって。溝口の悩みは、すべてが明らかになってしまったことだ。教室が混乱し、富士見を傷つけてしまったこと。

僕が制服泥棒として名乗り出る。それならどうだろうか。

教室に行き、自分がやったと叫べば、溝口は犯人ではなくなる。偽善だろうと知ったことではない。誰に嫌われようが関係ない。いまこの瞬間、溝口をモーンガータから逃がすためなら、代わりにいくらでも迫害を受ける。

溝口の右手がモーンガータに伸びる。もうだめだ。やはりこれしかない。

僕が駈けようとした、その瞬間だった。

「由紀ちゃん！」

廊下に響く大声に、意識がひっぱられ、足がとまる。僕に続き、溝口、そしてモーンガータさえも、叫んだ富士見を見ていた。

「ごめんなさい。私は、由紀ちゃんの気持ちにはすぐに応えられない」

「伊織……」

「弱くて、頼りない私は、由紀ちゃんにいつも助けてもらってきた。頼ってばかりだった。だから今回は、私に由紀ちゃんを助けさせて」

富士見は一人、教室に向かっていこうとする。伊織、とまた溝口が呼びかけると、教室に入る直前、彼女は振り返って言ってきた。

「私を見てて」

モーンガータの差し出した手を無視して、溝口は自力で立ち上がる。僕と溝口は並んで、教壇に向かっていく富士見を見つめる。

そして富士見は、教壇に立ち、生徒全員が注目するような声をだした。

「みなさああああん！」

彼女の足元は、震えていた。

「聞いてください！　報告があります！」

教壇のへりを手でつかみ、必死に耐えていた。

何人の視線を浴びても、何十人に見られていても、富士見は続けた。

「なくなっていた私の制服が、見つかりました。最近、ずっと騒がせてしまってすみませんでした。私がうっかり、トイレに置き忘れてただけでした」

彼女は溝口の罪を消し去ろうとしていた。なかったことにしようとしていた。

自分自身を、犠牲にして。

「制服泥棒が現れたとか、そういう噂もありましたが、ぜんぶ嘘です。私の勘違いです。本当に、すみませんでした！」

富士見は最後まで声を張り上げた。頭を深く下げて、皆の反応を待った。やがて近くにいた女子が「見つかってよかったね」と、そっと声をかけた。隣にいる女子もそれに続いた。張りつめていた教室の雰囲気が、しだいに穏やかになっていった。

「伊織、伊織……」

溝口は彼女の名前を呼ぶ。何度も。何度も。そしてまた、涙を流した。

気づくとモーンガータの姿は消えていた。空気の読めない死神も、さすがに引き際を察したらしかった。

富士見がこちらを向いて、僕たちに微笑んでくる。そのとき、僕は自分の浅はかさに気づいた。彼女に助けなんて、いらなかったのだ。自分だけで立ち直り、すべてを解決してしまった。

姉さん、と心のなかであのひとを呼ぶ。

ひとを助けるって、本当に難しいね。

†

今回の一件が無事に片付き、家に帰ると、姉さんがカレーをつくって待っていた。

「ただいま、姉さん」

「おかえり。お父さんは遅くなるって。お母さんも友達と夕食に行ってる。ちょうどできたから、二人でもう食べちゃう？」

「そうだね」

部屋に戻り、制服から着替える。逆さ十字架のチェーンを外し、机にしまい、一階に戻る。

ソファで二人並び、夕食をとった。今日は姉さんが近所のレンタルＤＶＤ店で借りてきたというヒーロー映画を観る。

「スーパーヒーローみたいに町や地球は救わなかったけど、姉さんのアドバイス通りに動いたら、上手くいったよ」

「それはよかった」

「姉さんのおかげだ」

「うん。まあそれはそれとして。ところでこれはなにかな？」

姉さんがソファの陰から取り出したのは、紙袋だった。そこに入っているものが目に入り、あ、と思わず声をあげた。富士見の制服だった。

改ざんされた事実が修正されたから、制服も僕の部屋に戻ってきたのだ。明日、彼女に返さないといけない。というか、いまは明日より、この状況をなんとかしなければいけない。

「この前隠してた紙袋の正体、これだったんだね」

「勝手に部屋に入らないでほしいな」

口にしたすぐあと、僕にはその言葉を言う資格がないことに気づいた。毎日のように他人の部屋に入り浸っているのは僕自身である。

姉さんが追及の手を緩める様子はなかった。この件が片付くまで、映画鑑賞も食事も中断である。

「姉としては、弟が新しい趣味に目覚めたんじゃないかと心配だけど」

さて。

どんな言い訳をしよう。

†

朝、卓上カレンダーを取り、昨日の日付に斜線を引く。残り五四日。九月が終わろうとしていた。寿命は二か月を切っている。

富士見の件での敗北に懲りて、あいつもこのまま大人しくなってくれればいいなと思った。少なくとも、僕が死ぬまでの残りの時間くらいは、金平糖を食べるだけの、呑気《のんき》で無害な化け物でいてほしかった。

しかしその通りにはならなかった。

三章　幸せのための祈りの数

本の森で姉さんとはぐれた。市内でも最大の広さを誇る四階建ての図書館では、一度姿を見失うと、合流するにも一苦労だった。

休日。教職に関する資料探しを手伝いにきていた。一人の図書カードでは借りる本の数に限度があるため、姉さんにとって僕は、より多く本を借りるための、追加要員の意味合いもあった。

貸出カウンターに向かってみるが、姿はない。カウンター横の掲示板には、読書の秋と題して、色々な催しものが開催される告知が張られている。

「よければどうぞ」

通りかかった司書の女性に、一枚の紙を渡される。一面がカレンダーになっていて、日付ごとに行われるイベントが分かるようになっていた。掲示板を見ていて、興味を持ったと思われたのかもしれない。今日の日付の部分に、大きな赤い丸が書かれていた。

僕が死ぬまで残り四七日だった。

姉さんの趣味に近い、歴史関係の書架を目指す。そこにいるかもしれない。文庫、新書、単行本と分かれていたが、まずは単行本の書架に向かうことにした。蔵書数が多いのと、姉さんの部屋の本棚に一番多くあるのも単行本だったからだ。

書架をのぞくが、どの列にも姉さんはいなかった。携帯を取り出そうか迷う。すぐ近くに張られた、使用禁止の張り紙が目に飛び込んでしまう。以前の自分なら見ないフリをして躊躇なく使ったかもしれない。

あきらめてほかの場所を探そうとしたとき、郷土資料と書かれた棚が目に入った。特設コーナーとして扱っているのか、ほかの図書のように背表紙を前にして収められてはおらず、表紙が大きくこちらを向いている。そのうちのひとつ、ある白黒写真が表紙になっている一冊を見つけた。

映っていたのは、僕たちの通う高校だった。校舎全体を映しており、校門横の柱に設置された木製の看板に、学校名が書かれていた。木造建築で、いまとは高さも違う。屋上はなく、三角屋根をかぶっている。地面は舗装されておらず、花壇もない。

それほど厚い本ではなかった。ページをめくっていくと、町の歴史が現在と昔の対比で書かれていた。右側に現在、左側に過去の写真と史実が記載されている。表紙にあった学校の写真は、全体の真ん中あたりに載っていた。

現在の校舎の全景写真、それから過去の、白黒写真。史実が記された部分に、別の写真も掲載されていた。それは礼拝堂の外観写真だった。木々が伐採され、開かれた空間に佇む、重厚な白壁の建築物。前時代的な校舎を見た後だと、同じ敷地内にあったというのが信じられない。

内装の写真も残っていた。左右対称で、美しく均整のとれた会衆席。大理石の床。窓枠に設置されたステンドグラスは、白黒写真でも荘厳さを損なうことなく、そこに普段座っているであろう信者たちを見下ろしている。

写真の下に、人物のスケッチが小さく描かれていた。一五〇年前、ここに教会をたてた宣教師だと記述されていた。細長い輪郭。目の形と、その鼻筋に見覚えがあった。モーンガータの顔だと思いだすのに、時間はかからなかった。これは――

「行っちゃだめだ」

とつぜん、肩を強くつかまれた。驚いて、思わず本を落としてしまう。見ると男性が立っていた。五〇代か、六〇代。伸びきった鬚《ひげ》が顔を覆っていて、正確な年齢がわからない。紫の派手なセーターを着ていた。袖の部分がほつれていて、よく見ると、編み目のなかで一匹の蠅《はえ》がもがいていた。

「あの高校の生徒か？」

「そうです」

「ち、ち、ち、近づくな。教会跡地には絶対に行くな」

男が息を吸うたび、ぜえ、と乾いた音がなる。目元が深く落ちくぼんでいる。僕には想像もできないような人生を送ってきたことがわかる、そんな瞳。

「何か噂のようなものがあったとしても、行くな。行っちゃいけない」

「モーンガータがいるから？」

それまで力強く、こちらを見つめていたその瞳が、急に泳ぎ始める。口をぱくぱくと開け、男は先を続けられなくなる。怯えていた。恐怖を植え付けられていた。間違いない。男性は過去に、モーンガータに関わっている。

「何があったのか教えてくれませんか」

「だめだ、だめだ、その名を言うな。あいつがくる。やめろ」

「もしよければ僕にあなたを……」

「近寄るな！」

男の声が響く。突き飛ばされ、よろめく。だが転んだのは男のほうだった。棚にもたれかかり、棚から本を引出し、床にばらまきながら、立ち上がる。

「アレにかかわるな。必ず後悔する」

「あなたも契約をしたんですね」

「はじめは上手くいくと思ってた。人生がよくなると思ってた。とんでもなかった。騙《だま》された。不幸になる！　あいつに関わると、すべて滅茶苦茶《めちゃくちゃ》にされる！」

そのとき、背後で僕を呼ぶ声がした。振り返ると、姉さんが本を抱えて立っていた。

床に散らばった本に気づき、心配そうな表情を浮かべ、早歩きでやってくる。

「大丈夫？　なんか、こっちで大声が聞こえたけど」

「トラブルじゃないよ。このひとと、いまぶつかっちゃって」

「このひと？」

姉さんが首をかしげる。視線を戻すと、男はすでに消えていた。モーンガータだけではなく、あいつと関わっている僕にさえ怯えていた。

床に散らばった本を片付けている間、男が発した短い一言が耳に残り続けていた。

不幸になる！　あいつに関わると、すべて滅茶苦茶にされる！

†

仲町渚《なかまちなぎさ》を知ることになった最初のきっかけは、富士見から聞かされた、こんな一言からだった。

「私、あの子は苦手です」

「苦手？」

「中学校のころ、同じクラスだったことが一度だけあって。常にひとの視線を集めているような人だったから、一緒にいると私まで周囲に絡まれて」

富士見の一件が片付いてから、彼女は僕に何かお礼がしたいと言ってくれた。しかしあれは結局、富士見がひとりで立ち向かい、解決してしまったことだ。僕ができたことはほとんどない。そのことを伝えて遠慮したが、それでも富士見は譲らず、何か返すまでつきまとうと宣言までしてきた。

　そこで僕は折衷案として、情報の提供を頼んだ。モーンガータと関わっていそうな知り合いがいたら教えてほしい、と。知り合いでなくても、最近、様子や態度が急変した人でもいい。そういう人がいれば知らせてほしい、と。そして富士見はある日、昼休みに僕を廊下に呼びだして、仲町渚の話をしてくれた。

「その仲町渚の様子が、変わっていた？」

「つい昨日、トイレで話しかけられて、久しぶりに顔を見たんですけど」

「うん」

「なんというか、濃くなっていました」

「濃い？」

　人に対してあまり使ったことがない表現だった。僕の身の回りの濃いものといえば、姉さんのつくってくれるインスタントラーメンと、姉さんが淹《い》れてくれるコーヒーくらいだ。

「濃いっていうのは、メイクとか、そういう話？」

「いえ、メイクはほとんどしてません。まぶたを二重にしているくらい」

　富士見は続ける。

「存在というか、全体が濃いんです。歩いてると視線が引き寄せられるような、無理やりつかんで、強引に引っ張ってくるような」

「存在が濃い、か」

たとえばどこかの、金平糖好きの怪物とか。

アレは確かに濃い。存在が濃い。あいつは派手な衣装を身にまとってはいるが、むしろあれは性格を隠すためのカモフラージュだとさえ思っている。濃い性格を、濃い衣装のなかに紛れさせている。

富士見の話は確かにひっかかりがないわけではなかったが、それでも僕はまだ、半信半疑で、動き出そうかどうか、決めあぐねていた。時間は有限。

「そうは言っても、最後に見たのは中学生のころなんだろ」

「そうです。まともに会って、話してたのは」

「なら、高校デビューとか、そういう心機一転で変わった可能性もある。久しぶりに会った友達が髪の色変えてたり、しゃべり口調が変わってたり、好みが変わっていたり、その延長で、仲町という女子も」

「私もそう思いました。中学のときはよく意見が食い違ったりして、喧嘩《けんか》寸前みたいにもなったし。話しかけられたときも、早く切り上げようとしたんです」

だが。

仲町は彼女に、こんなことを言ってきたそうだ。

「あの子、私を見て言ってきたんです。『ずいぶん派手なことしてたね』って。自分だけが秘密を知っている、みたいな笑みで」

派手なこと。

クラスをまるごと一つ、消し飛ばしたこと。

いまはモーンガータとの契約書は破棄され、クラスも元通りになっている。周囲の記憶も、それに合わせて調整されている。

ただし例外もある。モーンガータが与える影響や改変は、あいつの存在を知っている人物には、効き目が薄い。だから僕も富士見が自分のクラスにきたときに気づくことができた。

富士見のしたことに仲町渚が気づくことができたということは、つまり。

「モーンガータと関わっている」

決定的な証拠。僕は動くことに決めた。

富士見たちと反対方向に歩き、A組に向かう。教室につく寸前、大事なことを確認し忘れたことに気づいた。僕は仲町の具体的な容姿や外見を聞いていなかった。

教室に入って、まずは誰かから仲町のことを聞かないといけないなと思っていたが、しかしそんな心配は杞憂《きゆう》に終わる。僕は一目みて、窓際の最前列に座る彼女が、仲町渚だと気づいた。

彼女の座る席のすぐそばに、モーンガータがいたからだ。旗が立っているみたいにわかりやすかった。死神が僕の視線に気づくと、わざとらしく手を振ってきた。

「おおい作楽くん。ここで一緒にお話ししようよ」

「だまれモーンガータ」

不可解なことに、それだけ声を張りあげても、手をぶんぶんと派手に振っても、クラスの誰もモーンガータに注目していなかった。理解という言葉はこの死神とは相性が悪いので、僕はあきらめて、モーンガータと仲町渚のもとに近づく。

事前に話を聞いて身構えていたからか、富士見が言うほど、見た目に派手な印象を受けなかった。灰色に染めた音楽アーティストのような髪と、ゆるくかかったパーマ。毛先がピンクになっているのは、最新のヘアメイクか何かだろうか。ニキビやそばかすのない整った肌と、聞いていた通りの二重まぶた。

ほかに変わった点はないか探そうとしたとき、なぜか顔から眼《め》が離せなくなっていることに気づいた。不思議と吸い寄せられ、いつまでも見続けていたかった。まばたきするその瞬間を、わずかな風で揺れるその髪を、追っていたかった。なんだこれは。どうして目が離せない。僕はすでに、何かの影響を受けているのか。

僕が彼女を見ている間、仲町渚も僕を観察していたようで、やがて視線をそらし、彼女はモーンガータに尋ねた。その声は見た目に反して静かで品があった。

「この人のこと？　あなたが言ってたのって」

「そうだよ渚。田越作楽は要注意。きみにせっかく与えられたものを、彼は剝ぎとろうとしてくる。誘惑されないように気をつけて。彼のささやきは人を不幸にする」

よくもぬけぬけと。

「渚はボクにとっての上客だ。彼女が求めるならボクはなんでもする」

「上客じゃなくてお嬢様でしょ」仲町が言った。

「これは失礼、お嬢様」

「おわびにあたしの指を舐《な》めて。服従の証《あかし》」

「よろこんで」

僕の目の前で化け物が女子高生の指を舐めはじめる。その光景に、誰も注目していない。数人はこちらに視線を向けているが、彼ら彼女らはモーンガータにではなく、仲町だけを眺めているような印象だった。

「田越くんも舐めてよ。あたしの指」

「どうして僕がそんなことを」

「あれ、この人効かないよ。あたしに見つめられた人は、言うことを聞いてくれるんじゃないの？　このコンタクトレンズ、壊れてない？」

「契約書に故障はないよ。つけている限りは効力を発揮する。だけど彼は少し特別なんだ。ボクの存在を知ってしまっているからね。効き目が薄い。もう少し気持ちをこめて、強く言ってごらん」

仲町が再び僕に向き直ってくる。彼女はコンタクトレンズと言っていた。よく見ると、確かに瞳の色がわずかに青い。いや、これはすごくきれいな青色だった。この美しさにどうして気づかなかったのだろう。吸い込まれる。僕は何かを待っている。彼女の指示を待ち焦がれている。

「ねえ、田越くん。あたしの指を舐めてよ」

「……僕は」

「平気だよ。嫉妬でほかの男子が襲ってくることはないから。ね、ほら」

指が差し出される。ああ、いいのか。僕はその指を舐めてもいいのか。そもそもどうして舐めなくてはいけないのか。彼女に指示されたからだ。そう。それがすべてだ。ほかはどうでもいい。僕がこの世界で生きる理由は、彼女の指を舐めるためだ。

僕は仲町の手に触れ、自分の唇を近づけていく。

ゆっくり口を開けて、そして。

「あはは。冗談だよ。もういいよ」

仲町が視線をそらす。すると、さっきまで自分を支配していた感情や意志が、嘘のように消えていく。霧がかかっていた理性が、晴れていく。

「惜しいなぁ、あと一秒あれば舐めていたのに」

モーンガータは笑いながら、コートのポケットから無造作に出した金平糖を食べる。

仲町が「あたしも欲しいな」と言うと、モーンガータはまた金平糖を出して、気前よく彼女の口に放った。

いまのが仲町の正体なのか。これがモーンガータと交わした取引で得た力なのか。ひとを見続けることで、意のままに操る。仲町の契約書は、身に着けているそのコンタクトレンズ。

「仲町、とつぜん現れて何者だって思うだろうけど、僕はきみの助けになりたい。そいつは危険だ。その力は……」

「知ってるよ。寿命と引き換えでしょ。ぜんぶ最初に教えてもらった。ついでにきみのことも。あんまり詳しく話すから、初めて会ったのに、すでに友達みたいな気分」

仲町は続ける。頬づえをつき、見透かしたような笑みで、見上げてくる。

「最近、富士見ちゃんの件にも関わったんだよね。そして次はあたしのところへ。でもこの契約を手放す気はないよ。使えるものは使わなきゃ。これはチャンスなんだよ」

「チャンスなんかじゃない。寿命を奪われれば、その先に未来はない」

「いまを幸せに生きられなきゃ、未来でも幸せになれないと思わない？　そのためなら、いくつでも契約するよ」

その言葉を聞いて、血の気が引いた。『いくつでも』？　まさか、ひとつではないのか。彼女はいまの力以外にも、ほかの契約を交わしているのか。

「……きみはいったい、いくつ契約をしたんだ」

「いくつだっけ？　モーンガータ。教えて」

要求に応えるように、モーンガータはゆっくり、思い出すように指を折っていく。細長いその指が順番にたたまれるごとに、自分の背筋が凍っていくのがわかった。

数え終えたモーンガータは、淡々と答えた。

「仲町渚とは一四個の契約を交わしている」

富士見のときは、交わした契約の内容と、その契約に頼ることになった原因を解消することで、問題を解決することできた。今にして思えばシンプルだ。今回、同じ方法で仲町渚と向き合うのは無謀かもしれない。一四個の契約の一つひとつをつきとめ、原因を探るには、あまりにも時間が足りなさすぎる。

昼休み、高野と昼食を取っているついでに、彼に一つ聞いてみた。

「高野は願いがかなうとしたら、どんなことを望む？」

「なんでもいいのか。数も無制限？」

「うん」

「まずは金がほしい。あと彼女がほしい。束縛せず、かつ気分が乗ったときには一緒に遊びにでかけてくれる子がほしい。休日にだけ過ごせる自分専用の無人島がほしい。犬を飼いたい。どれだけ寝ても時間が過ぎないベッドがほしい。漫画家になりたい。好きなアニメのヒロインが実体化してほしい。成績がオール五であってほしい。受験勉強をせずに推薦で大学に入学したい。甲子園で活躍したい」

「わかった、わかった。もういい」

ひとによってはいくらでも願いが出てくる。もしかしたら、僕や富士見のほうが珍しいほうなのかもしれない。願いが叶うなら、複数の願いがあって当然か。

結局、打開策を見出《みいだ》せないまま、放課後を迎えた。仲町の口ぶりからすると、僕の存在をうっとうしがっている。求めてもいないのに手を差し伸べるのは偽善だと、誰かが言っていた気がする。確かモーンガータだ。よりにもよってあいつの言葉を思い出してしまった。とにかく、中途半端なまま仲町に接触すれば、かえって刺激することになり、事態を悪化させるかもしれない。今日は大人しく帰路につくしかなかった。

家に近づくたび、情けない考えが浮かんだ。姉さんならどうするだろう。もしかしたら答えを持っているかもしれない。多くの人助けに関わってきた姉さんなら、同じようなケースに立ち会ったことがあるのではないか。また、富士見のときのようにアドバイスをもらえないだろうか。

帰宅すると、姉さんは台所にいて、夕飯の準備を進めているところだった。今日は久しぶりに、家族そろって食事ができると言い、はりきっていた。普段、食事をつくってくれる母さんも早く帰ってきてはいたが、その役目を姉さんに譲ることにしたようだ。例の事故以来、学校を休み続けていることにも理解を示していたし、何か家族のなかで役割を果たしていたいという姉さんの気持ちを、皆が尊重していた。

姉さんはポタージュスープとかぼちゃのサラダ、チキンのソテーをふるまった。配膳が終わると僕たちを呼び、フォークとナイフまで丁寧に並べられた食卓に案内された。料理は五感で味わうとよく聞く。匂いや見た目だけで、今日の夕食は成功だとわかった。

「料理の腕、だいぶ上達したんじゃない？」母さんが言った。

「前からうまかったよ。わたしなんでもできるじゃん」

「それは嘘。あなたが焦がしたせいで、鍋が二つ台無しになってる」

母さんも姉さんも、お互いに主張を譲らない。そして同じようにあきれるリアクションを見せる。姉さんは母さん似だ。そしては僕は父さんのように、寡黙にふるまう。これが家族のバランス。

「昔が下手でもいいの。いまのこの結果が重要なんだから」

「わかったから。早く食べ始めましょ」母さんがいなして、やり取りが終わる。

食事に手をつけようとした、そのときだった。

あれ、と、姉さんが声をあげる。

全員が彼女の握る食器を見る。食器ではなく、それはカッターだった。フォークとカッターを間違えて、姉さんは自分のところに並べていた。起こりようのない、その歪なミスに、皆が固まった。

「あはは、ボーっとしてたのかな？　料理が台無し」姉さんは言った。

「レストランだったらクレームものよ」

母さんが場の雰囲気をやわらげようと、笑ってみせる。父さんはなんでもないようなフリをして、食事を始める。

「姉さん。それは僕が預かるよ」

「ほんと？　ありがと。じゃあ戻しておいて」

どこから持ってきたのかもわからない、カッターを受け取る。刃が五センチ以上も出ていたので、見られないようにそっとしまった。姉さんの体のどこかに切り傷がないか、食事中、何度かこっそりと見てみたが、幸いそんな様子はなかった。

七月。学校の屋上で、教科書とノートを引き裂いていた姉さんの姿を思い出す。モーンガータのささやきが、付随するように頭に響く。

『生真面目な人間が、本来の運命に逆らって生き返ったら、どんな反応を見せるだろうね』

図書館にもよく出かけるし、買い物だって率先して行ってくれる。決してひきこもるわけではなく、外出の機会は多くなっていた。だから、姉さんは順調なのだと思っていた。思おうとしていた。学校に行く日がくるのも、そう遠くはないと。

姉さんにアドバイスをもらおうとしていた自分が、たまらなく愚かだったことに気づいた。どこまで馬鹿なら気が済むのだろう。何を助けてもらおうとしている。助けるのは、僕のほうなのに。そう決めて今日まで生きていたのに。

目が覚めた。もう弱気にならない。

やれることは、すべてやろう。

†

朝、自室の卓上カレンダーを取り、昨日の日付に斜線を引く。残り三九日。姉の部屋に移動し、ルーティンをこなして家を出る。

登校すると、僕は早々に仲町のいる教室へ向かった。昨日は一四個という数字に面食らってしまい、しっぽを巻いて逃げだしてしまった。だけど今日は違う。

富士見が教室の前で、先に待ってくれていた。事前に連絡しておいたのだ。

「ありがとう。一人だと面倒なことになりそうで。富士見がいるなら心強い」

「こんなの、お礼のうちに入るかわかりませんけど、できる限りのことはします」

富士見を連れて、A組の教室に向かう。外からのぞくと、窓際、一番前の席には仲町がいた。入ろうとするが、そこでためらってしまった。生徒が入れ替わり立ち替わりで、仲町のもとで雑談を交わしていくのだ。

「私、あの子やっぱり苦手です」

あのなかに割って入れば、教室中から視線を浴びるのは必至だ。それくらい、仲町のもとに寄ってくる生徒は絶え間がなかった。こんなの富士見じゃなくても躊躇する。仲町渚はクラスの中心にいる女子だった。僕の姉さんのように。

男子と男子の間から、仲町の顔がちらりとのぞく。そのタイミングで、偶然、目が合った。仲町が何かを口にすると、男子たちが解散していく。彼女が鞄を持って、教室の外であるこちらに近づいてくる。ちなみに持っている鞄は学校の指定のものではなく、何かのブランド品だった。それについて責めるものは、誰もいない。

「やほ。昨日に引き続き田越くん。と、あと富士見ちゃん」

「こんにちは」と、富士見は小さく答える。表情から察するに、A組の誰かがこちらに割って入って話しかけてこないか、気が気でないらしい。

「今日はどうして二人？　て、ああそういうことか。この『レンズ』の対策だ」

「するどいね」僕が答えた。

見つめられている間は言うことを聞いてしまう。だからもしも正気を失ったら、片方に助けてもらう。単純な話で、人は一人の人間としか目を合わせることができない。

それで、と、仲町は富士見のほうに視線をずらす。念のため、富士見の様子を注視しておく。

「この間ぶりだね、富士見ちゃん。中学のときと相変わらず、今日も教室の隅で息を殺して過ごしているの？　埃のほうがまだ存在感ありそう」

「そちらこそ道端で光る街灯みたいに主張がお強いですね。さっきも虫がたくさん寄ってきてました」

「あはは、富士見ちゃんって面白い。いつも一人だから発想力が豊かだね。でも早口でちょっと聞き取りづらいよ。もう少し人と話す機会をつくったほうがいいと思う」

少し予想と違った。どうやら思った以上に、仲が悪そうだ。この前、久しぶりにトイレで会って話したというが、いったいどんな会話をしていたのだろう。

「とにかく仲町。モーンガータとの取引のことで今日も話にきたんだ」

「言ったでしょ。あたしは手放す気はないよ。自分で選んで、自分で決めたことなんだから、文句を言われる筋合いはない。誰にも迷惑かけてないし」

「そのうちかけるかもしれませんよ」富士見が言った。

「だからもし、取引を継続しなくても済む問題なら……」僕も続こうとするが、仲町の言葉にすぐに阻まれてしまう。

「よく知りもしないひとたちに、あれこれ言われたくないな。あたしは常に誰かに自分を見ていてほしいの。たとえば田越くん、あなたのお姉さんみたいにね」

富士見に続き、仲町も姉さんの存在を知っていた。この学校においては、知らないひとを探すほうが難しいかもしれない。

「名前を聞いたとき、ピンときた。田越作楽くんは、あの葉月さんの弟だって」

姉さんの存在を誰かから聞かされると、いまだに少しどきりとする。埋めたはずのコンプレックスの塊を、錆びついたスコップでつきたてられたような気持ちになる。

僕が黙ってしまったせいで、会話が一瞬、途切れる。仲町は首をひねって不思議がっていたが、すぐに自分の主張に戻っていった。

「とにかく、自分の目的を叶えるためなら、あたしはどんなものも利用する」

「あなたはアレと取引なんてしなくても、十分目立つでしょう。個人的にはただの承認欲求の暴走にしか見えませんけど」富士見が言った。

「みんなと同じでいるよりは、違うほうが安心しない？　だいたい目立つ少数を責めるのってさ、大抵は目立たない多数だよね。あれって自信の無さの裏返しじゃない？

『どうしてお前はみんなと同じじゃないんだ。どうしてルールを守らないんだ』って。自分が何者にもなれないってあきらめてるから、少しでも他人を自分と同じ状態にしたいんだろうね。もしかして富士見ちゃんもそういう人？　ならごめんね」

「田越くん、この人を窓から放り投げてもいいですか。机を放り投げたことがあるのできっと彼女も投げられると思います」

「落ち着け富士見」

それぞれの正義がぶつかりあい、こうやって戦争というのは生まれていくのだなと、冷静に考えている場合ではなかった。富士見は本気で仲町に近づこうとしていたので、急いでとめた。その様子を眺めていた仲町が、唐突に訊いてきた。

「ねえ。二人は付き合ってるの？」

「……っ！　付き合ってなんか！　いません！」

僕が否定するよりも先に、素早く富士見が答える。弱みを見つけたみたいに、仲町がとたんに笑みを浮かべた。それはモーンガータが、僕に対して見せる表情とよく似ていた。

「良いこと思いついた。あたし、モーンガータとの取引をやめてもいい。持ってる契約書を破棄してあげる」

いきなりどうしたのかと思った。そのまま黙って聞いていると、裏があることがすぐにわかった。

「ただし、条件はあるよ。あたしの願いを一つ叶えてくれたら、代わりに一つ、契約書を破棄してあげる」

「そのお願いっていうのは？」

単純に計算するなら、僕は一四個の取引を無効にするために、一四回、彼女の願いを叶えないといけない。もう少し強い言い方をするなら、一四回、彼女に服従する必要がある。富士見はすでに何かを察したのか、表情が曇りだしていた。僕はいまだに仲町が何をしようとしているか読めなかった。やがて彼女はこう言った。

「今度の休日、あたしとデートをしてよ」

†

デート前日である金曜の夜、富士見からメールがあった。異様などこちらを心配する内容だった。文面から彼女の表情が見えてくるようで、少し可笑《おか》しかった。

『本当に大丈夫ですか？　危険はありませんか？　何されるかわかりません。モーンガータと一緒に仕組んだ罠《わな》かもしれません。ついていきましょうか？　由紀ちゃんと遊ぶ予定があるんですが、ズラしてもいいです。それか由紀ちゃんと一緒に尾行しても』

すぐに返事を打つ。

『ありがとう。ひとまず、一人で行ってみる。何かあったら、連絡させて』

送った瞬間、即座にまた返信があって、「いつでも」とあった。富士見がいてくれるからか、何か陥れられるとか、そういう心配はなかった。強いて言えば、待ち合わせと同時に仲町の機嫌を損ねて、デート自体が中止にならないかと不安だった。

「起きなくていいのかい？」

翌日の朝は、床に座り込んでいるモーンガータからの一言で目を覚ました。目覚まし時計を確認すると、とっくに起きていてもいい時間になっていた。

「お前は何してるんだ」

モーンガータは体の向きを変えて、準備していたそれを見せてくる。馴染《なじ》みのあるおもちゃ。黒ひげ危機一発だった。

「ひと勝負しようかと思って。デート前に相手の素性くらいは把握しておいたほうがいいんじゃないかい？」

「仲町の情報が掛け金か。それで僕は何を差し出す」

「デートの中止。仲町渚は俺様の大事な収入源だ。奪われるわけにはいかない」

「ぜんぜん釣り合ってないだろ」

「それじゃ早速、始めよう。黒ひげを飛ばさず剣を多く刺せたほうの勝ちだ。まずは俺様から。よーいドン」

刺した。飛んだ。

静寂につつまれた部屋に、プラスチックの黒ひげがむなしく転がる音が響いた。お互い言葉を交わさない。なんとも言えない間が空く。

足もとに横たわる黒ひげをそっと拾って、樽《たる》に戻す。それから今度は僕が剣を刺す。飛ばなかった。勝った。秒殺だった。

「ほら、勝ったぞ。早く話せよ」

「人はどうやって自分の存在を確立すると思う？　答えは簡単で、他者とのコミュニケーションさ。他人と比較し優劣をつける。社会的な動物の宿命といえる行為だ」

「ごたくはいいから教えろって」

「何かの行動や主張に対してリアクションをもらう。そうやって自分の存在を認識してもらおうとする。いわゆる、承認欲求というのはその最たる例だよね。人が生存するために必要な本能ともいえる」

「お前教える気ないな」

「『生きがい』や『やりがい』の中身とは、達成感を満たしてくれるもので、つまり承認欲求を満たしてくれる何かだ。その何かは人によって違う。仕事かもしれないし、部活かもしれない。スポーツかもしれないし、芸術かもしれないし、生産性のない悪ふざけかもしれない。誰もが『これは自分だ』と言える何かを欲している」

わけのわからない説明をしながら、モーンガータは悪あがきのためか、黒ひげの樽に剣を刺す。また一本目で飛んでいった。逆にその運の悪さはすごいと思った。

「仲町渚の正体は簡単。いま説明したような欲求が、単に人より強いというだけ。生きたいという力が強いだけ。彼女の願いの源は、すべてそこに起因している」

適当な話をしているのかと思っていたら、どうやらちゃんと、仲町に関する情報を明かしていたらしい。そういうことなら、もっと細かく聞いておけばよかった。話半分に聞いてしまった。もしくは僕がそういう態度を取ることを見越して、こいつは重要なことをさらりと明かしていたのかもしれない。

そうこうしているうちに、本当に時間がぎりぎりになってしまった。準備して、家を出る。

待ち合わせ場所の駅まで走っていると、横を歩いてついてくるモーンガータがいた。こちらが走っているのに向こうは歩いている。物理法則を無視している。

「まだ何か用か。そんなにゲームに負けたのが悔しいのか」

「黒ひげが負けたのであって俺様は負けていない。彼が勝手に飛んだだけだ。俺様の意思ではない」

「いやお前の選択の結果だよ。お前が剣を刺した結果だよ。ついてくるな」

に退散する」
「仲町渚に用があるんだ。デートの邪魔まではしないよ。ちゃちゃっと片付けて、すぐ
「用ってなんだ？」
走っているうちに駅につく。ロータリーの前、植え込みがある広場のベンチで、すで
に仲町が待っていた。灰色の髪というのは、遠目から見ても特徴的だった。仲町は僕を
見つけると組んでいた足をおろし、不機嫌そうに立ち上がる。今日の仲町は、ペンギン
のシルエットが入ったヘアピンをしていた。
「もう。遅いなぁ。あたしが時間通りにくるなんてめったにないのに」
「ごめん仲町。この死神が邪魔してきたんだ」
「まあ、息を切らして走ってきた姿に免じて許そう」
続いて仲町は、モーンガータのほうを向く。
「おはよう仲町渚。用事はわかっているだろ？」
「うん。徴収でしょ。はいどうぞ」
理解がすぐに追いつかず、僕が息を整えている間に、それは行われた。
仲町はモーンガータの前に立ち、キスをするみたいに顔をそっと差し出し、目を閉じ
る。モーンガータは躊躇せず、彼女の額のあたりに手を突っ込み、数秒後には黒い塊を
つかんで引き抜いていた。若干の衝撃があったのか、仲町の足がもつれていた。

「今回の徴収分、確かにいただきました」

丁寧な敬語と空気が冷たくなるような声色。モーンガータはつかんだ魂を一口で飲み込む。寿命がいま、僕の目の前で徴収されたのだ。あっという間の出来事。

「それじゃ、こちらの用事は済んだから。あとはお好きに。楽しんできて」

まばたきをしたその一瞬で、モーンガータの姿は消える。残された僕と仲町は、お互いに目を見合わせる。あまりじっくり見つめると、また好きに操られてしまいそうだった。警戒した僕を悟ったのか、にやりと彼女が笑ってきた。

「何を警戒してるかわかるよ、この目でしょ。そんな風に横で怖い顔されても嫌だから、ここで破棄してあげる」

言いながら、仲町はその場で両目からコンタクトレンズを外してしまった。指の腹に乗っていたコンタクトレンズを、躊躇なく潰す。契約書だったコンタクトレンズは、光の塵《ちり》となり、宙に舞い、あっという間に消えていく。見ると、仲町の瞳は青色から、茶色に変わっていた。それが元の彼女の瞳の色なのだとわかった。

「『見つめた相手を好きに操る』願いは、これで破棄したよ。きみが願いを叶えてくれるごとに、一つ捨てる。いまのはデートの約束を守ってくれたお礼」

いとも簡単に契約の一つを解除する。これで残りは一三個、と、安易には喜べない。躊躇なく契約を解除するということは、逆に躊躇なく、契約を結び直す可能性もある。

今日でどれだけの契約を破棄できるかはわからないが、根本的な意識を変えてもらわない限り、僕が彼女の助けになったことにはならない。

「さ、いこ。田越くん」

手を引っ張られ、デートが始まった。


「一回やってみたかったんだよね、『男子を好きに振りまわす』っていうの。無敵のヒロインみたいなやつ。あと、富士見ちゃんの悔しがる顔も見たかった」

電車に乗って早々に、仲町は今回のデートの目的を明かした。欲望に忠実で、最優先で実行し叶えようとする力が彼女にはある。確かにモーンガータとは相性が良さそうだった。

乗っている電車がひと駅、ふた駅と越えていく。横の仲町は携帯をいじりだしていた。三駅目が近づいたところで、僕は真実を白状することにした。

「実をいうと、僕は女子とデートをしたことがないんだ」

「ふうん、そうなんだ」

興味を引いたのか、仲町が携帯をしまって僕の話を聞く。

「普通はプランを男が用意するんだろうけど、僕は何も準備できていない。だからごめん、もし目的もなく電車に乗っているなら、いまから一緒にデート先を考えてくれるとうれしい」

「あはは、正直だね。見栄《みえ》を張られるよりは、素直なほうがいい。安心して。さっきも言ったけど、今日はあたしが振り回す日だから。目的地も決めてある。とりあえず横に座っててよ」

「きみは自信にあふれてるな」

「モーンガータが願いを叶えてくれてるおかげだよ」

その答えは、僕にとっては複雑だった。本人はけろっとした様子で、話題を昨日観たテレビ番組の話に変える。

乗り換えを一度、それからまた二〇分ほど電車に揺られ、目的の駅につく。

電車を降りて地上に上がると同時、オフィスビルの並ぶ通りに出た。仲町の案内でさらに進むと、とつぜん、空間を切りぬいたみたいに遊園地が現れた。初めてくる場所だ。驚く僕の顔を見て仲町が笑った。ビルの合間を縫って、ジェットコースターが走っている。

「まずは何乗る？　やっぱあの派手なジェットコースター？」

「僕、あんまり得意じゃないんだよな。体の自由を奪われる感じがする」

「体の自由を奪わないアトラクションなんて、この世にないよ」

言われてみればそうだった。返事に困っているうち、あっという間に腕を引かれ、ジエットコースターの乗り場まで進んでいた。ゲートをくぐり、気づけば座席に案内され、動きだしていた。

レールを上がり、体が背もたれに押し付けられる。太陽を全身に浴びる。横を向くと、僕の顔を見た仲町が手を叩いて笑っている。どうやらそうとう引《ひ》き攣《つ》っているらしい。車体を巻き上げるチェーンの音で声は聞こえない。

頂上につき、そこからはお決まりの動き。仲町が全身で楽しむように両手を上げて、悲鳴をあげる。日常では味わえないスピード。急降下、急旋回を繰り返し、一周して戻ってくる。仲町と風で乱れたお互いの髪型を見て、笑った。その一瞬だけモーンガータのことを忘れた。

見知らぬ女子二人が近づいてきたのは、ジェットコースターを降りて仲町と雑談をしていたときだった。同じ年齢か、もしくは少し下くらい。二人の視線は仲町にそそがれていた。

「モデルの仲町渚さんですよね？」女子の一人が言った。頭が追いつかなかった。

「うん。そうだよ。よく気づいたね」

「週刊少年ダイブに乗ってた巻頭グラビア見ました！　女子なのにきゅんきゅんしました！」もう一人の女子が興奮気味に言う。まだ追いつかない。

「ありがとう。でもあれ、加工技術できれいにしてもらってるだけだから」

「そうなんですか？　胸の形とかすごく奇麗でした」

仲町は最後に、二人から差し出されたメモ帳にサインをして、それから写真撮影に応じたあと、彼女たちを見送った。ようやく事態が呑み込めてきた。

「モデルやってるのか」

「もちろん、モーンガータの力でね。モデルになりたいって言ったら、一瞬後には事務所に所属してた」

「いつから？」

「半年くらい前。でもあたし、身長とか体重とか平均的だからさ。どうやって売るんだろって思ってたら『等身大ヒロイン』だって。ベタだよね。まあ中学のころは陸上部だったから、体つきはそこまで悪くないと思うんだけど」

仲町のファンらしい女子二人がショッピングモールのなかに消えたところで、よし、と彼女がつぶやいた。何をするのかなと思っていたら、持っていたサインペンを両手で握り、そのまま半分に割ってしまった。『サインペン』が、光る塵となって宙に舞い、消えていく。

「ジェットコースターに乗ってくれたお礼。契約を一つ破棄したよ」

「『サインペン』が、モデルになることの契約書だったのか」

残り一二個。すでに短時間で二つの取引を破棄しているが、仲町は顔色をまったく変えない。デートが終わり、解散した夜には契約を結びなおす姿が浮かんでくる。

「それで、どうする仲町。ジェットコースターで体もならしたし、ほかに乗りたいのがあったら、付き合うけど」

「あ、その前にごめん、用事があるんだ」

仲町はある場所を指さす。周囲をショッピングモールで囲まれた広場。そこに大きなステージがあった。人工の芝生が敷かれ、観覧ができるようになっていた。

ステージ横に設置されたデジタルサイネージのイベント広告を見て、開いた口がふさがらなくなった。

『ソロアイドル・なかまちなぎさ　生ライブ！』

横を見るとすでに仲町はいなくなっていた。ステージ裏の、プレハブ小屋へと消えていく姿がちらりと見えた。とりあえず立っていられなかったので、近くのベンチに腰をおろした。

二〇分後、ステージ周辺はファンでうめつくされ、照明と音楽が鳴りだした。派手なピンクと水色の衣装に身をつつんだ『なかまちなぎさ』が手を振って姿を現す。

そのまま仲町は五曲を踊り、歌い続けた。ヒットナンバーか何かがかかったときは、会場の盛り上がりが最高潮になっていた。ショッピングモールの二階の手すりにも人が集まり、この空間にいるすべての客の視線を、一人占めしていた。富士見だと気絶しているだろう。

ライブが終わり、客が徐々に引いていく。ベンチで戻ってくるのを待っていると、イベントスタッフらしい男性がやってきて、僕に言ってきた。

「マネージャーの方とお聞きしています」

「え？」

「なかまちさんがバックのほうでお待ちなので、迎えにいってあげてください」

男性スタッフから首にかけるゲストパスをもらい、わけもわからず案内される。とりあえず、首にかける。本当に僕は何をしているのだ。

案内された先、プレハブ小屋の待機スペースのなかに、仲町はいた。衣装のままソファに寝転がり、扇風機を二台も独占していた。スカートが派手にめくれあがっている。たぶんファンには見せられない光景だ。

「ごめんね、急に。予定があったから、デートのついでに消化したの」

「アイドルだったんですね」

「なんか色々あきらめた顔してる……」

仲町が着替えるのを外で待ち、出てきた彼女とそのままステージを離れる。帰るとき、僕はマネージャーとしてまったく知らないイベントスタッフにお辞儀をした。

「うん、よし、満足」

仲町は鞄からマイクを出す。さっき、ステージで使っていたマイクと同じものだった。彼女は近くにあった噴水にそれを放り込む。あっという間に水没し、そっとのぞくと、すでにマイクは消えていた。

「これでアイドルは引退。『なかまちなぎさ』は存在しないことになった。ほら、よくあるやつ、普通の生活に戻ります、みたいな？　あはは」

仲町渚を濃いと表現していた、富士見の気持ちがようやくわかった。放っておいても、そばにいれば性格が見えてくる。たった数時間しかいないのに、何日も一緒にいる気分になる。一目でとびこんでくる、油絵のような存在感。

歩いていると、遊園地から外に出ていた。目的地を変えるようだった。僕は大人しくついていく。

「そういえばさっき、元陸上部って言ってたけど」

「うん。そうだよ」

「富士見も言ってたな。前とずいぶん印象が変わったって」

「あのときはけっこう走ってたからね」

「どうして高校では続けなかったんだ？」

「えー、汗かくし、疲れるからだよ。それに怪我もしたからね。三年生のときにそのまま引退したの」

「……そうか」

「いこ、作楽くん。次はカラオケ」

ステージで披露していた通り、仲町の歌は上手かった。このあとに続けというのは、なかなか自分を虐《いじ》める行為だと思った。

「ほら、作楽くんも歌いなよ」

「僕は下手だし」

消極的な僕に、まったくもう、とため息をついたあと、仲町は首にかけていたネックレスを外した。音符のマークが入った金色のネックレスだった。それは何かと聞こうとしたところで、彼女はネックレスを引きちぎってしまった。ちぎられたパーツは床に落ちる前に、光の塵となって消えていく。再びマイクを握り、歌いだす。音程の外れた声が室内に響きわたった。

「『歌が上手くなりたい』ってお願いしてたの。友達との付き合いで、カラオケに行くのが億劫だったときね。ほら、これで『飾り』は取ったよ。一緒に歌おう」

さらけだした彼女に報いようと、僕もマイクを握った。舞台に立てば石を投げられそうな二人の歌声が響く。だけど不思議と、酷《ひど》さが緩和されたような気がした。

ときには高すぎたり、低すぎたり、リズムが遅かったり早かったり。はみだして、踏み外して。それでも横に、同じ境遇の仲町がいるから、妙な安心感があった。

カラオケボックスを出てからは、近くのハンバーガーショップで遅めの昼食を取った。海外にあるようなボリュームの店で、仲町が途中でギブアップしたせいで、僕が彼女の分も食べることになった。店の外で仲町は箸の形をした契約書を壊した。

「『食べても太らない体』。女子のあこがれだよね」

「さっきまで『食べても太らない体』だったんなら、僕に手伝わせなくてもよかったじゃないか。おかげで動けない」

「細かいことは気にしない。次は運動しよっか。吐かないようにね」

「モーンガータよりきみが死神に見えてきた」

「ちょうど近くに遊べるところあるよ。いろいろ入ってる。ボウリング、フットサル、あ、ボルダリングもある。ぜんぶやろう」

本当に、遊びつくす一日だった。女子はおろか、友達とさえ、これだけ過密なスケジュールをこなしたことが、僕は人生で一度もなかった。

宣言通り、仲町は本当にすべてのスポーツで汗を流した。一種目付き合うごとに、仲町は一つの契約書を破棄していった。『何を言っても嫌われない』とか、『どれだけ寝ても寝坊しない』とか、『写真写りに失敗しない』とか、願いは色々だった。

「『時間を巻き戻してほしい』って願いもあったんだけど、モーンガータが言うには、願いの性質上、一人が差し出せる寿命じゃ巻き戻せても少しなんだってさ」

「うん。あいつにも制約や規則があるみたいだ」

契約書の形も様々で、仲町は会話をしながら、いとも簡単にそれを壊していく。

一通り遊び終えて、施設を出るころには夜になっていた。

駅を目指しながら、仲町と話をする。

「今日はありがとう作楽くん、楽しかったよ。ひとを振り回すのって最高だね」

「それは何より。でも仲町、モーンガータのことは本当に気をつけて」

「わかってるよ。だから今日、いっぱい壊したじゃん、契約書」

行為としては実現していても、中身の意識が変わらない以上は、また繰り返すだけだ。

彼女が契約書を破棄するたび、その不安がつのる一日だった。僕は彼女の意識を、何も変えられていない。ついていくのが精いっぱいなだけだった。

「そういえば作楽くんは、モーンガータに何をお願いしたの？　あの怪物と関わってるってことは、お願いを叶えてもらったんでしょ。モーンガータに聞こうとしたけど、プライバシーの問題だって。本人に直接聞けって」

僕に対してだけプライバシーの話をしているわけではなかったらしい。自分なりの哲学のもとに、あいつも動いていたのだ。

誰かの哲学を変えることは簡単ではない。主張や正義は、そのひとの経験に基づいてつくられた心の柱だから。変わるのは、とても勇気のいることだ。それは僕自身が一番よく知っている。後悔したあとでは、どうにもならないことも。

「僕は死んだ姉を生き返らせた」

話し出すと、仲町は徐々に無表情になっていった。真剣に聞いてくれているのか。もしくは、緊張を隠そうとしているのか。僕はあいつと出会った経緯と、交わした契約の内容、すべてを話した。

「それで、作楽くんの残りの寿命は？」

「一か月と少し」

何か言いかけて、仲町は口を閉ざす。それからすぐ、心の奥底から浮かび上がってくるみたいに、はは、と乾いた笑い声を出す。

「なんだ。ひとのことをさんざん説得しようとしてるけど、きみのほうが、ぜんぜんヤバいじゃん」

「だからこそ、こうして動いてる。仲町。きみは僕みたいになってはだめだ。一四個の願いなんてなくても、きみは十分、ひとから愛されるはずだ」

「たった一日デートに付き合ったからって、わかったふりしないでよ」

「一四個も取引を続けていたら、いつ死んでしまうかわからない」

「さっきも言ったけど、今日いっぱい壊したじゃん」

仲町は自分の指を折って数える。

「一二個。こんなに壊してる。残りはたった二個だよ」

「僕はぜんぶを破棄するまで、きみと話を続ける」

「今日のデートはいまいちだった？　あたしといても楽しくなかった？　ジェットコースターに乗ってるときも、ライブを見てるときも、カラオケで歌ってるときも、あたしから契約を解除させることばっかり考えてたんだ？」

睨まれる。そんなことはない、とすぐに返事したいのに、真実を見抜かれて、先が続けられなくなる。姉さんの仮面が剝がれそうになる。

僕が黙っていると、仲町は駅と逆方向に歩きだした。

「どこに行くんだ？」

「ついてきて。もう一か所、付き合ってほしいところがあるの」

大通りを数分ほど進んだところで、仲町が足を止めた。何の看板もない、雑居ビルの前だった。派手なスポーツ施設がテナントに入ってるわけでも、カラオケが入っているわけでも、アパレル店があるわけでもない。

「ここは？」

「モーンガータと出会ったとき、ここに連れてこられたの。急に、まばたきをした間に瞬間移動して。そのときこのビルは工事中だった」

　モーンガータがここに連れてきた。その言葉が意味することはひとつだ。契約を交わす前の、あいつの義務。契約によって寿命を失い、死を迎える人間を目撃させる。

　突然、仲町がその場でしゃがみこみ、体育座りをした。通りの真ん中で、通行人の邪魔になっていた。不審げに一瞥《いちべつ》し、去っていく。仲町はそんな視線を気にもとめず、座り続ける。

「あたしがいま座ってるこの場所にね、ちょうど工事用の資材が落ちてきたの。細長い、パイプみたいなやつだった。歩いてた男性にそれが突き刺さったの。あっという間だった。倒れて、それきり起き上がらなくなった」

　仲町が地面を撫でる。

　鉄パイプが突き刺さったという、男性の最期を僕は知らない。そこに広がっていた光景は、彼女の頭のなかにしかない。だけど僕にはなぜか、血だまりのなかで平然と座る仲町の姿が見えた。地面を撫でる手は血に染まっている。

「それを見てどう感じたと思う？　何も思わなかったの。自分でもびっくりした。少しくらい動揺してもよかったのに、浮かんだ感想は、あたしじゃなくてよかったってことくらい。残酷だよね？　気持ち悪いよね？　でも、これがあたしなの」

　言葉を告げられないでいる僕に、仲町は続ける。

「ひとは死ぬ。それがいつ訪れたっておかしくないのも分かってる。だけどそんな実感、あたしは抱けない。自分だけは例外だと思ってるし、いまもそう信じてる。寿命を奪われるなんて言われても、それがどれだけ危険なことかなんて、わかるわけないじゃん。だって目に見えないんだもん。これってあたしが間違ってるかな？　変なのはあたしのほうなのかな？　ねえ、ねえ、ねえ」

ひとは経験することで物事を記憶する。だけど死は平等で、それを知る機会は一度しかない。自分が死ぬ以外で、ひとが死を実感できるのは、身近なものが亡くなったときだけ。

僕も目の前で姉さんを失うまで、死というものを知らなかった。自分の前にそれが現れるなんて、想像もしていなかった。

だめだった。説得なんて、もってのほかだった。富士見のときにも抱いた気持ちだ。関われば関わるほど、僕は仲町に共感してしまっている。

仲町は留めていたヘアピンを外す。僕に見せつけるように、わかりやすく、それを握りつぶす。ミシ、と手の中でヘアピンのきしむ音が聞こえた。

「最後までデートに付き合ってくれたお礼。これであと一つだね。よかったね。どう、これで満足？　少しはデートの意味はあったかな？」

どうやらそのヘアピンも、何かの願いを叶えていた契約書だったらしい。

これ以上話すことはないという風に、仲町は背を向けて去っていく。どうにかしなくちゃと焦る。このまま帰してはいけない。

本音なのか、それとも苦し紛れか、気づけば口を開いていた。

「きみは強い人だ。モーンガータの力なんてなくても、生きていける」

彼女は振り返らなかった。僕の言葉は空っぽだった。

帰宅すると、姉さんがリビングでジャージに着替えてヨガをしていた。ネットでひそかに購入していたらしいＤＶＤがテレビで流れている。どうやら秘密の習慣だったらしく、すぐにテレビのチャンネルを変え、ニュース番組を眺めるフリをし始めていた。遅すぎる証拠隠滅をする姉さんを眺めているうち、心が落ち着いた。

「作楽、早いね。おかえり。今日は夕飯いらないんじゃなかった？」

「そのつもりだったんだけどね。思ったより早く解散になった」

「なるほど、デートに失敗したわけだ」

「デートなのかな、あれは」

「どちらにしても、帰り際に女の子を不機嫌にさせる男は最低だよ」

まるでどこかで見ていたかのような言葉だった。姉さんには色々お見通しらしい。このひとからあと三週間、僕は秘密を隠しとおさなければならない。

姉さんは即席の夕飯をつくってくれた。玉子スープとチャーハン。お腹《なか》が空いていたのか、あっという間に完食してしまった。食欲が満たされ、硬くなっていた心の内側がほぐされたような気持ちになり、気づけば言葉を漏らしていた。

「姉さん。ひとつ聞いていいかな」

「なに？」

この前、あれだけ頼るまいと決めていたのに、僕はまだまだ愚かだった。助けを求めずには、いられなかった。

「姉さんはこれまで人助けをしてきて、どこかで言われたことはなかった？　偽善的だとか、自己満足だとか、そういうことを」

「あるよ。何度もある。たくさん言われた」

普通に解釈すれば不名誉なことであるはずなのに、姉さんはむしろ、誇らしげにそれを語ってくれた。

「誰かを助けても、それは別の誰かにとっての悪になることがある。ひとりができることには限界があるし、ときには誰かの相談に乗ったり、助けたりするとき、優先順位をつけないといけない場合もある」

「それでも、続けられた理由は？」

「善い人になるために、やってたわけじゃなかったから。善だろうが偽善だろうが、どうでもよかった。ただ、覚えていては欲しかった。いざというとき、頼れる誰かがいるって。そういうひとが一人いるだけで、安心できると思うから。わたしは誰かの、いざというときの一人になりたかった」

誰でもお守りは欲しい。保険という言い方をしてもいいし、あるいは、芯と表現してもいいかもしれない。とにかく、自分の存在を保ってくれるもの。これがあるから自分は大丈夫、といえる確かなもの。

自分という存在を保つためのそういうお守りを、誰か他人ではなく、自分の持っているスキルや技術、趣味に見出すひともいるだろう。誰にも負けない、これという強みが一つある。ほかの人にはない自信と経験を持っている。でもそれが見つからないひともいる。あるいは途中で失ってしまったひともいる。

仲町渚のお守り。それはモーンガータが与えた、あの一四個の力のことだろうか。僕は代わりのものを、彼女に見つけてあげることができるだろうか。

「ありがとう、姉さん。またヒントをもらった気がする。やっぱりすごいね」

「そんなことないよ。作楽のほうがずっと立派」

「お世辞でもわざとらしいと、かえって嫌いになる」

「本気で言ってるんだよ。世界中の皆が知らなくても、わたしは作楽のすごさを知ってる。ねえ、小学校のころを覚えてる？」

「小学校？」

低学年のころ、と姉さんは答える。僕は一年生で、姉さんは三年生だった時代。印象的な出来事など、あっただろうか。すぐには思い出せない。

「昔、犬を飼っていたでしょ」

「ムタのこと？」

「そう」

「覚えてるよ。雑種犬。白と茶色の毛並みのやつだった。なんで『ムタ』って名前にしたかは忘れたけど、ちゃんと覚えてる」

顔の線が細く、体格もスマートなやつだった。あとで調べて、日本スピッツという犬種の血が混ざっていることを知った。僕が犬種を知るころには、すでにムタはこの世にいなかった。

「飼い始めのころ、姉さんと首輪の色で揉《も》めた。僕は黄色がよくて、姉さんは水色。結局、姉さんの水色になった」

「あの首輪に英語で書いてあったんだよ。Finally, it's designed to happy. 最後にはうまくいくようにできている、って」

「もしかして、姉さんの口癖はそこから？」

「前向きで良い言葉だなって思ったの」

話が脱線したと言って、姉さんは話題を戻す。その内容は、ムタが亡くなる直前の出来事だった。

「最期のころ、ムタのお腹に腫瘍ができちゃって、寝たきりになってたでしょ」

「うん。家のなかにケージをおいて、家族皆で看取《みと》った」

「亡くなる前日の夜、ムタがすごく鳴いてた。何かに怯えるみたいに。作楽はその声を聞いてすぐにベッドから起きて、一階に下りてムタのそばに居続けたんだよ」

「あのときは姉さんもいたじゃないか」

「正直に明かすとね、一階に下りるのがすごく怖かった。死ぬ瞬間を見てしまうんじゃないかって。どうにもできない自分に直面するんじゃないかって、体が動かなかった。でも作楽は躊躇なく先に下りて行った。すごいと思った。姉として、わたしも、ついていかないわけにはいかなかった」

ムタが亡くなったあと、病を治療する手術を受けさせなかった両親を恨んだこともあった。だけど当時、ムタはすでに高齢だった。両親の判断もいまは理解できる。

「あの日にわたし決めたの、弟に恥じない人間になろうって。弟に、負けないくらい優しい人間になろうって」

それが姉さんのお守りなのだろうか。姉さんだけが持っていた、いまの自分をつくることになった、原風景。

思えば、姉と僕に差がつきはじめたのも、その時期からだったように思える。落ち込む僕とは違って、姉さんはすぐに立ち直ったように見えた。

「僕はそこまで偉いやつじゃない。結局、ムタも救えなかった」

「そんなことない。誰かの痛みが分かる。それって十分、すごいことだよ」

姉さんが笑う。事故で亡くなったままだったら、僕は一生、いまの話を聞かされることはなかった。ムタを思い出すことも、なかったかもしれない。

†

目が覚めたきっかけはムタの鳴き声だった。枕もとのデジタル時計が、午前二時すぎを指していたのを、いまでも覚えている。

ムタは途切れなく鳴き続けていて、甲高く、ほとんど悲鳴に近かった。耳をすますたび、どんどん大きくなっている気がした。

「ムタが泣いてる」

当時は姉さんと同じ部屋で寝ていた。二段ベッドの上が姉さんの定位置だった。話し合いと、ついで行われた殴り合いのけんかに負けて、僕はベッドの上を姉さんに明け渡していた。

「お姉ちゃん、ムタが泣いてる」

話しかけたけど、返事はすぐになかった。寝ているのかなと思って、今度は直接体をゆすろうか考えていたとき、姉さんが答えた。

「お父さんとお母さんが、見に行ってると思うよ」

「でも、とても苦しそう」

「昨日病院に連れていったじゃん」

「結局、手術は受けなかったよ。僕見てくる」

「夜、一人でトイレにも行けないくせに？　怖がりの作楽が行けるわけない」

「でも、だから、ムタもいま怖がってると思う」

階下のムタが、ひときわ大きく鳴いた。散歩中、間違って一度、足を踏んでしまったことがあった。そのときにあげた悲鳴とよく似ていた。

部屋を出て、真っ暗な廊下と、先の見えない階段を一歩ずつ下った。リビングに明かりはついていないようだった。父も母もムタのそばにはいない。自分がそばにいないといけない。いますぐ寄り添って、寂しくないよ、一人じゃないよ、と声をかけてあげたかった。

リビングのドアを開けると、ムタの鳴き声が大人しくなった。明かりをつけて、隅のゲージに近づく。ムタは顔をあげて、必死に僕を見ようとしていた。だけど視線が合わない。焦点が定まらず、僕のことはもう見えていないのだとわかった。頭を撫でると、荒くなっていた呼吸が少し治まった。手の大きさや、撫で方で、僕だとわかってくれたのかもしれない。

やがて、姉さんもリビングに下りてきてくれた。姉さんが撫でると、ムタは完全にリラックスして、また寝転びはじめた。

「大丈夫だよ、そばにいるよ」

小学生の僕にはまだ語彙力はなくて、だから知っている限りの言葉をかけ続けた。これくらいしかできない自分がとても嫌だった。

僕と姉さんとムタは一晩中、一緒に過ごした。ムタが鳴くたびに体を撫でた。そうするとまた、少し落ち着いた。

朝になると同時、ムタは息を引き取った。僕はしばらく泣いた。

†

週明け。卓上カレンダーを取り、昨日の日付に斜線を引く。残り三三日。自室を出て、いつものルーティンをこなすために姉さんの部屋に入ると、姉さんはベッドで熟睡していた。机に参考書が載っていて、夜遅くまで勉強していたのだとわかった。

あれから仲町はまた、モーンガータと契約を結びなおしているだろうか。僕と過ごした一日のうちに解消した一三個を、すべて元通りにしてしまっているだろうか。彼女のことだから、さらに数を増やしていても、おかしくない気がした。

考えているうち、学校につく。自分の教室に行く前に、一度、仲町のいるA組をのぞいておこうか。アイドルやモデル、さまざまな顔を持つ(持っていた)仲町のもとに、話しかけようと集まる男女の姿を想像する。

教室のある二階へ階段を上っていたとき、まさにその仲町が、踊り場のあたりで立ち止まっているのを見かけた。少し迷って、声をかけることにした。おはよう、と挨拶するが、仲町はすぐに反応しなかった。もう一度呼びかけると、今度は飛び上がり、僕を見た。

「驚かせてごめん」

「作楽くんか。おはよ」

「どうしてこんなところに？　誰か待ってるとか？」

「いや別に。ちょっと息が切れただけだよ。休憩してたの。さ、いこ」

二段飛ばしで昇っていく。息が切れた女子の動き方ではなかった。

ふと、横を歩く仲町の持つ鞄に目がとまる。その変化にすぐに気づいた。

「今日は普通の学生鞄なんだな」

「『コンタクトレンズ』は壊しちゃったからね。もう先生はだませない。ブランドものなんかで行ったら、普通に怒られるよ」

仲町は契約を結び直すようなことは、していなかったらしい。

やがてA組の教室にさしかかったとき、開いたドア、教室のなかから、数人の男女グループの話し声が聞こえてくる。本人たちの気づかないうちに盛り上がり、声量が大きくなっていたらしく、その内容は、こちらからでも、はっきりと拾えた。

「ほら見ろよこれ」「うわ、ほんとだ。本当に仲町さんからサインもらってるこいつ」「なんで俺、あいつのサインなんて持ってるんだろ」「きしょー。たかだが普通の生徒に――」「ほんと、どうかしてた」

それは証拠だった。

彼女が、持っている力を手放した結果だった。

「誰かに似てたのかな？　アイドルとか」「いや、それはないでしょ。雰囲気も容姿も、普通だし」「あたしなんて、つい先週、めちゃくちゃ仲町さんに話しかけてたよ。好きになってもらおうとめっちゃ張り切ってた。なんであんなことしてたんだろ？」「わたしも。引くぐらい仲町さんに関わろうとしてた」「なんかそういう雰囲気だったんだよね。あの子を立てなきゃ、みたいなさ」「本人もまんざらじゃなさそうな顔してたよな。優越感抱いてた感じ」「嫌いじゃないんだけどね。まあ、好きでもないっていうか」「とりあえずそのサイン、捨てておきなよ。同級生のとかキモイから」

何かの流行が去ったみたいに。ブームが鎮火していくように、一斉に彼女への興味がうすまっていた。事情を知っている僕たちからすれば、異様な光景そのもの。

そのときになってようやく、仲町が踊り場で立ち止まっていた理由がわかった。無神経どころか、僕は鈍感にもほどがあった。

躊躇《ためら》っていたのだ。魔法がなくなったあとの教室に向かうことを。怖かったのだ。自分の都合や願望を叶えてくれない、その空間に踏み入るのが。

「ほらね」

仲町はぼそりと、漏らしてくる。

「これがあたしの正体。誰にも好かれないし、誰にも嫌われない。そもそも興味を抱かれない。わかったでしょ？　これが本来の光景なの。あたしは何者にもなれないし、誰でもない。ひたすら平凡で、モーンガータの力に頼る以外は、自分で行動を起こそうとすらしなかった。あたしはきみが言うような強い人じゃない」

「そんなことない。僕は……」

とっさに、引きとめるためにかけた言葉。モーンガータにこれ以上関わってほしくなくて、叫んだ言葉。本音だったのか、そうではなかったのか。自分でもわからず、いまになって、首をしめてくる。

いつまでも答えない僕を見て、仲町のなかに何かの考えが生まれたのか、やがてこんなことを言ってきた。

「ねえ作楽くん。今度の休み、また付き合ってよ」

「え?」

「うちに遊びおいでよ。覚えてるでしょ、あたしはまだ契約を一つ解消していない。きみの時間をくれるなら、破棄も検討してあげる。ね、ちゃんとメリットあるよ」

「仲町、僕は別に……」

「はい決まり。今度の土曜ね。場所はあとで送る。ということで、今日はとりあえず帰るね。ばいばい」

僕に返事する隙を与えず、彼女はまた去っていった。A組の教室のなかから聞こえる話し声は、すでに仲町のことなどとっくに忘れ、昨日観たテレビの話題に変わっていた。

仲町はその日から学校にこなくなった。


約束の土曜日。卓上カレンダーの昨日の日付に斜線を引き、家を出る。残り二八日。

女子の家にお邪魔するのはずいぶん久しぶりだった。どのくらいぶりかを告白するのが恥ずかしくなるくらい、久しぶりだった。何か用意したほうがいいのか迷って、仲町の家がある最寄駅《もよりえき》のスーパーで、ありったけのお菓子を買った。すごい量になった。貯金を気にしなくていいのは、寿命が少ないものの特権だ。

送られてきた住所の一軒家にたどりつく。モーンガータとの契約で豪邸か何かに住んでいるのを一瞬想像していたが、いたって普通の家だった。

インターホンを押そうとすると、塀の陰から仲町が出てきた。驚いた僕に、いたずらが成功したみたいな笑顔を向けてくる。元気そうだった。手にはじょうろを持っていた。庭の花に水をやっていたのだという。

「手に持ってるその袋はなに？」

「一応、お土産。お菓子だけど」

「ふうん。ありがと」

仲町に続いて家に入る。生地の薄い短パンに、シンプルなTシャツ。部屋着のままらしい。灰色の髪も、よく見るとところどころが跳ねている。

「お邪魔します」

「かしこまらなくていいよ、お父さんもお母さんもいないから」

「仕事？」

「お母さんは仕事。平日も休日もずっと。お父さんは離婚して家にいない」

「……そうか。お母さん、すごいね」

「はは、どうだろう」

仲町は言う。

「前、『なんでそんなに仕事してるの』って聞いたら、『どうしてだろね』って答えられた。本人もよくわからないみたい。家にいるより、働いてたほうが楽なんじゃない？　まああたしもその分、こうやって自由にさせてもらってるけど」

案内された仲町の部屋はきれいに片付いていた。乱れているのはベッドの上の毛布くらい。隅には雑誌の束が置かれている。一番上に積まれた雑誌は、彼女がモデルとして表紙を飾っているものだった。

折りたたみ式の簡易テーブルをだして、僕が持ってきた袋の中身を、仲町は豪快にぶちまける。奇麗好きなのか豪快なのか、よくわからなくなってきた。スナック菓子がいくつかテーブルからこぼれる。

「なにこれ。金平糖まで持ってきてる」

見ると、彼女の言う通りだった。テーブルの上に乗ったスナック菓子の山にまぎれて、金平糖の袋があった。買った覚えがない。あいつが近くに来ているのだと、静かに悟った。

「それでどう？　女子の部屋は？　作楽くんはどうせあまり経験ないでしょ」

「まあ否定はしないけど」

あらためて部屋を見回す。窓際は空いたスペースを埋めるためか、小鉢のサボテンが飾られている。ホームセンターでよく見かけるものだ。その隣はどこかの海に行ったのか、コップの中にシーグラスが満たされている。様々な色のガラスの破片。

本棚はほとんどが少女漫画で埋まっていて、仲町らしいと思ってしまった。右下には映画やアニメ化もした恋愛小説の単行本がいくつか並んでいるが、どれも挟んであるしおりが、途中のページで止まっている。

「家に遊びにきたのはいいけど、普通はどうやって過ごすんだ？」

「そりゃあ、パソコンで動画みたり、映画みたり、雑談したり。いろいろだよ。とりあえず、床じゃお尻痛いでしょ。ベッド座っていいよ」

「いや、でも」

「座りなよ」

妙な威圧を受けた気がした。勘違いだろうか。僕はそっと腰を浮かし、大人しく従い、ベッドに座る。僕の体重を受けて、スプリングがわずかにきしむ。

「それで、僕ときみはどんな雑談をするんだ？」

「そりゃあ、まあ」と、要領を得ない、どこか浮ついた返事をしながら、仲町が立ち上がる。ドアに移動したかと思うと、そのまま鍵をかけて戻ってきた。

「この前ね、モーンガータに面白い話を聞いたの。作楽くんやあたしは寿命を差し出して願いを叶えてもらったけど、その契約ってね、実は必ずしもスムーズに行われるわけじゃないんだって」

「どういうこと？」

「たとえばAさんに好きなひとがいて、その子を恋人にしたいって願うとする。でも、同じタイミングでBさんもその子を恋人にしたいって願うと、どうなると思う？」

モーンガータが使いそうな言葉であえて表現するなら、その状況では、利益相反が発生している。

「たぶん、願いが叶うのは一人だけ、とか？」

「そう。だからオークションを開催するんだって。寿命のレートをあげて、AさんとBさんのどちらが多く差し出せるか、競わせるの」

「そして勝ったほうの願いを叶えるのか」

あいつは結果的に本来よりも多くの寿命を手にする。どこまでもずるい奴だ。

しかもそれが可能なら、すでに交わした契約に対して、相反する契約を別の誰かが新たに交わすこともできる。つまり契約は、上書きが可能。あいつは顧客である二人をそれぞれ煽《あお》り、さらに寿命を搾取することだってできる。

だがもし、オークションでもケリがつかなかった場合はどうなるのだろう？　ふと抱いたそんな疑問も、続いて明かした仲町の告白で吹き飛んでいった。

「あたしの一四個の願いも、いくつかはほかのひとの願いとバッティングすることがあったの。でもあたしはぜんぶに勝ってきた」

　意識が少しでもそれていれば、聞き逃してしまいそうな、それくらい自然な口調だった。彼女はどれだけの寿命を失ったのか。

「きみが初めて会いに来てくれたとき、あたし、本当は少し期待してたんだよね」

「……期待？」

「願いは叶えてもらってたけど、あたしだって、寿命を奪われ続けるのは癪《しゃく》だった。得体のしれないものだって自覚はあるし。だから、いいきっかけになるかなって」

　でも、と仲町は続ける。

「結果はきみも見たでしょ？　あたしはもう、あのでたらめな力がないと、みんなには見向きもされない。前はこんなんじゃなかった。陸上で活躍してたときは、みんながあたしを見てくれた。期待してくれてうれしかった。声をかけてもらえて頑張ろうと思った。それなのに、怪我をしてからぜんぶ、おかしくなったんだ」

「仲町、ひとに注目されたい気持ちはわからないわけじゃない。だけど、大勢じゃなくてもいいと、僕は思ってる。ただひとり、自分を見続けてくれる、どんなときも味方になってくれる、そういうひとがいれば」

　僕にとっては、姉さんがあてはまる。

「そういうお守りみたいなものがあれば……」

「じゃあそばにいてくれる？」

「え？」

「きみがあたしのお守りとやらになってよ」

近づいてくる仲町は、僕をそのまま押し倒し、馬乗りになる。一瞬の出来事だった。目の前でTシャツを脱ぎ、下着姿になる。右の胸にホクロがあって、そんな小さなことに、視線が引きつけられる。

「作楽くん、残りの寿命は？」

「……二週間と少し」

「その時間、あたしにぜんぶちょうだい。そうしたら、あたしも自分の契約を手放す。約束する。きみが死んだあともモーンガータとは契約しない」

見下ろしてくる仲町の、体全体の熱気が伝わってくる。甘く、温かい、ひとの匂いがただよう。彼女は片方の手で僕の利き腕を押さえつけて、もう片方の手で、短パンをおろしていく。自分で自信があるといっていた太ももと、髪の色と同じ灰色の下着があらわになる。

「そばにいてくれるなら、あたしだってきみに尽くすよ。ねえ、作楽くん」

「仲町、腕が痛い」

「あたしたち、相性良いと思うんだ。お互いに同じ秘密も共有してるし」

息遣いが荒くなる。仲町の早くなる呼吸に、自然と、僕も自分の呼吸の数を合わせてしまう。ゆっくりと、顔が近づいてくる。唇に、視線が引き寄せられる。

「ねえ。そばにいてよ。あたしを助けてよ」

視界が仲町渚という存在に覆われる。彼女の髪の毛先が、頬を刺す。体が密着し、脚と脚が触れて、そして。僕は。

「だめだ仲町」

そっと、力をこめて押し戻す。彼女を起こしていく。押さえ付けられ、血が止まり、痺れかけていた右手が解放される。

「断るなんて思わなかった」仲町が言った。

「言っただろ、きみは強い人だ。この一週間、ずっと考えてて、やっとわかった。僕のあのときの言葉は、やっぱり間違いじゃない」

彼女は鼻で笑った。

「こんな醜態をさらしてるのに？　男子の一人も誘惑できなかったあたしが？」

「正直にいうと、胸のホクロは魅力的だった」

「モーンガータと呆《あき》れるくらいの数の取引をしたのに？」

「ああ、それでも僕は言い切れる。きみは強い人だ」

「どんな根拠があってよ。答えられるなら、答えてみせろよ！」

叫んだ仲町の、その表情を見て。

ようやく彼女に触れられた気がした。

「きみは確かにモーンガータの力を頼った。いまだに依存しようとしてる。僕だって人のことは言えない。姉さんを生かし続けている。だけどきみは違う。きみにはちゃんと芯がある。譲るべきではないところを、わきまえている」

「違う。あの力を使ってなんでも叶えてきた。好き放題やってきた」

「それが真実なら、どうしてきみは、モーンガータの力を『陸上競技』に使おうとしないんだ？」

「…………」

「陸上の長距離で活躍した。全国出場まで期待されてた。怪我をして離脱してしまったけど、復帰しようと思えばできた。モーンガータの力を使えば、大会で優勝することくらい、簡単なはずだ。だけどきみはそれをしない。それだけは、絶対にしなかった」

陸上部にいた中学時代の仲町には、誰にも負けない強みがあった。長距離走という自信があった。お守りがあった。

それを失って、彼女は代わりを求めたのだ。周りが自分を見てくれるように。期待してくれるように。注目してくれるように。自分が揺らがないための芯を、モーンガータの力で作り直そうとした。でも、あのでたらめな力を、決して陸上には利用しなかった。

「モーンガータの力に、罪悪感があったからだ。心のなかで、その一線だけは越えまいと、きみはちゃんとブレーキをかけたんだ」

そして僕は自分をとめられなかった。ブレーキをかけず、線路をはみ出し、谷底に落ちた。いや、いままさに落ちている。僕を乗せたトロッコは落ち続けている。そしていつかは、つぶれる。

死者を生き返らせるという、人間としての一線を越えてしまった。姉さん自身に明かせない、取り返しのつかないことをしてしまった。僕は弱かった。

だけど仲町は違う。

ちゃんと、とめられる強さがあった。

「違う、あたしは違う、違う、違う」

「また陸上を始めればいいじゃないか。残った最後の一つの契約を捨てられる。きみならまた、全国を目指して……」

「わかったようなこと言わないで」

彼女の足に、水滴が落ちる。仲町自身の涙だった。本人は予期していなかったようで、あわててぬぐう。そしてうつむき、ベッドから立ち上がる。一瞬だけ、言葉が届いたかと思った。だけどそうではなかった。終わりでは、ぜんぜんなかった。

その眼は僕を睨んでいた。

「もう今日は帰って」

「仲町、僕はあきらめない」

いらついたように、彼女は無言で髪をかきむしる。それから数秒の間が空いて、何かを思いついたような顔になる。僕自身を見下したのか、それとも閃《ひらめ》いた自分に呆れたのか、とにかく彼女は小さく笑って、こう言ってきた。

「なら条件をつける。三〇分あげるから、あたしの最後の契約書を探してみてよ」

「三〇分？」

「制限時間以内にきみが見つけられたら、壊してあげる。でも、もし見つけられなかったら、そのときはモーンガータにお願いしてきみを消してもらう。これで文句はないでしょ。怖いなら逃げてもいいよ。いまならまだ許してあげる」

僕は動かない。動けない。仲町はそれを、自分の提案に対する拒否と受け取ったようだった。おもむろにスマートフォンを操作しはじめる。やがて向けられた画面は、三〇分のカウントをすでに始めていた。二九分五八秒。五七秒。五六秒。とつぜんの事態に、僕はまだ動けない。

「作楽くん。早く探し始めないと、大切な時間が過ぎちゃうよ」

急いでベッドから下りる。部屋の隅を順番に見まわしていく。集められた雑誌、少女漫画で埋まる本棚、勉強用の机、ノートパソコン、タンス、姿見、クローゼット、窓際の置きもの。どれを見ていいかわからない。どこを探せばいいのかもわからない。落ち着け、こんなとき、姉さんならどうする？

「仲町、仮に僕が見つけられたとして、それをどうやって証明する。きみに嘘をつかれたら僕は判断ができない」

「簡単だよ。だって契約書は、本人以外は壊せないんでしょ？　それなら、作楽くんが壊そうとして壊れなかったものが、正解ってこと」

「ひとの家のものを壊していいっていうのか」

「何をいじってもいいよ。この部屋のものも、リビングのものも、廊下のものも、ぜんぶ。終わったら、あたしが全部元通りにしてもらうから。モーンガータの力で」

範囲はこの部屋のなかだけじゃないのか。勝手にここにあると思ってしまっていた。範囲は家中なのだ。

僕はいまから、他人の家を壊してまわり、物色しなければいけない。仲町の提案する通り、確かに契約書を見極めるための確実な方法ではある。けど、こんなに心を虐める行為があるのか。何より僕が彼女の契約書を見つけられなければ、仲町はさらに寿命を失うことになる。重く、責任がのしかかる。

「もしかして躊躇してるの？　他人の家のものを壊すことに気が引ける？　作楽くんは

面白いなぁ。そんなこと気にしてる場合じゃないんじゃないの？」

そう言うと、仲町は窓際にある小鉢のサボテンを手に取った。声をかける間もなく、彼女は僕の見ている前でそれを叩きつけ、鉢を割ってしまった。土とサボテンが、無残に床に転がる。

「これで少しは踏ん切りついたんじゃない？　もっとほかのも壊そうか」

彼女は小鉢のすぐ横にあった、シーグラスの入ったコップを手に取る。僕は彼女の部屋から飛びだす。背後から、笑い声とガラスの割れる音がする。

玄関から順番に探していく。きれいに整っている。表に出ているのは、僕と彼女のスニーカーが一足ずつだけ。靴の汚れは仲町のほうが目立つ。違う、こんなことじゃない。もっと何か、目に留まるものはないか。違和感を抱くものはないか。

契約書の形はさまざまだ。そのときの人の心にあった感情に左右されて、生みだされる。僕の場合は、姉さんを生き返らせるという罪悪感から、『逆さの十字架』が生まれた。富士見の場合は自分の存在ごとクラスから消えたいと願うことで、『彼女の席』が契約書として生み出された。教室をまるごと消したときは、『C組のプレート』が生まれた。

仲町とのデートのときもそうだ。サインペン、マイク、ヘアピン、コンタクトレンズ、様々なものが契約書になっていた。日常に溶け込んでいた。

どんな形をしていてもおかしくないし、どんな大きさでも、どんな色をしていても、契約書の可能性がある。

「困っているきみを見るのはやっぱり堪《たま》らないね」

廊下を進んでいるとき、奥のリビングから声が聞こえた。誰のものかすぐにわかった。

早足で問題のリビングにつくと、食卓のテーブルに腰掛けて、モーンガータが金平糖を食べていた。袋のなかがすでに半分まで減っている。本当にこいつはいつも、一番現れてほしくないタイミングで登場する。

「モーンガータ、邪魔だ」

「どうしてきみのデートを妨害しなかったと思う？　必要がなかったからさ」

本当なのか、でたらめなのか、わからない。どうでもいい。残りは二〇分もないだろう。時間が迫っている。

「仲町渚が契約を捨てていっても、焦りはしなかった。彼女はもう、とっくに私に依存している。同じ数を捨てれば、同じ数をまた拾う。作楽も気づいていると思うが、私の力は、抱えている時間が長くなるほど手放しにくくなる」

とつぜん与えられたでたらめな力。便利すぎる力。無理だとあきらめていた、理不尽からの解放。幸福で満たされ最初は感謝する。だけどやがて空気みたいに、当たり前になって、気づけばそれなしでは生きていけなくなる。モーンガータ自身が言ったように、それは依存だ。支配で、服従だ。

「仲町渚は私の理想の顧客モデルだ。彼女の生活が私の力を中心に考えてまわっている。きみたちがあらゆる機能を備えた携帯電話を捨てられないように、仲町渚もこの私の力を捨てられない」

「仲町が何を頼るにしても、その役目につくのがお前になることだけは、許さない」

「好きに吠《ほ》えてなよ。どっちみちあと二〇分できみともお別れだ。私は何も茶化しに来ただけじゃない。きみの宝探しが失敗に終わったとき、すぐに仲町渚の願いを叶えられるよう待機しているのさ」

　振り返り、モーンガータと目が合う。

　そこで初めて、笑っていることに気づいた。

　口角がつりあがり、むき出しになった歯。ずらりと並び、するどく尖っている。いまにもその口がさらに開き、僕を喰《く》らおうとするような気配があった。こいつを見て、心の底から怖いと思ったのは、この瞬間が初めてだった。

　モーンガータは仲町と契約を交わし、僕を消す気だ。今回の機会に乗じて、うっとうしい僕を排除するつもりだった。

「ああ、もう、今日みたいな日をずっと待ってた。物理的に危害は与えられないから、きみを消せと願うような誰かが現れるのを待つしかなかった。どうやって消してやろうかずっと考えていた。きみを地球のどこに飛ばしてやろうかいつも妄想してた。きみがこの街に戻ってくることは、もう二度とない。お別れだ、田越作楽」

壁時計を見る。話しているうち、さらに五分が経っていた。時間を稼ぐのもモーンガータの作戦だったのだろうか。こいつがこの前の富士見のときみたいにぽろっと、何か漏らさないかと期待していたが、今回はさすがに隙を見せない。

「きみは私を嫌う。けど、本当はもう気づいてるんだろ。私はひとの欲望を叶えているだけだ。『私』を否定するっていうのは、『自分』を否定するのと同じことだよ」

僕はモーンガータを無視して、リビングの捜索を始める。食器や冷蔵庫、ソファ、テレビ、収納棚、あらゆる場所を探していく。何を探せばいいかもわからず、ただ、自分の行為のむなしさを思い知る。

契約書はひとの心をあらわす。

残り一つの願い。仲町渚は何を願った？　そのとき、何を思った？　彼女の願いの源はなんだ。目立つことだ。存在を認識してもらうことだ。ひとより劣らないようにすることだ。

ふと、ガラス棚にしまわれた写真立てに目がいく。どこかの運動場、ユニフォームを着た仲町と彼女の母親らしき人物が笑顔で立っている。中学時代の彼女が、カップのトロフィーを持っている。写真立ての横を見ると、そのときのトロフィーが飾られていた。大会の名前と、彼女の個人の名前、種目名が刻まれている。

ガラス戸を開けて、そっと取り出す。

彼女を象徴しているもの。これがもし、契約書なら。

迷っている時間はなかった。一度呼吸を置き、覚悟を決めて、僕はそれを床に叩きつける。

金属がぶつかる、鈍い音。ごろごろ、と重さをともなって転がる。閉じていた目を開けて、そこに広がるものを見る。トロフィーは土台から外れていた。叩きつけたカップの部分が醜く凹《へこ》んでいる。壊れていた。

「残念、はずれだね」

あと五分。時間がなかった。

モーンガータはどこかからだしたガラスのコップで、牛乳を飲みだす。僕の視線に気づいたのか、きみも飲む？　とコップをよこしてくる。耐えきれなくなった僕はコップをふんだくり、それを放り投げる。姉さんの仮面が剝がれかけていた。

思った以上に力が入り、窓にあたってしまう。コップが砕け散る。ガラスの破片が床にちらばる。窓まで割れなくてよかった、とほっとする。

「え？」

そしてとうとつに、仮説に行きあたる。

やけくそで起こしたその行動で、考えがまわり始める。僕は椅子を持ち上げ、それを窓に投げる。テレビを持ち上げ、床に叩きつける。傍《はた》から見れば、ただ暴れているだけに見えるだろう。だけどまだ頭は冷静だった。パズルのピースをはめるみたいに、自分の仮説が正しいかどうかを、試していく。

台所から包丁を取りだし、壁を突き刺そうと力を込める。モーンガータの表情が曇り、無表情になっていくのを見て、僕はとうとう確信した。

靴を履いて外に出る。彼女も自分のスニーカーを履き、見送りに出てくれた。門のあたりで振り返ると、彼女は言った。

「じゃあね。作楽くん。残りの人生、楽しんで」

「まだ別れは早い。なぜなら、僕には契約書が何かわかったから」

「ああ、そういえばまだ答えを聞いてなかったね。ま、一応、教えてよ。きみが出した答えはなに？　もし陸上部時代のトロフィーだっていうなら」

「家だよ」

「…………」

「契約書は、この家だ。一軒家。この家自体が、きみの契約書だ」

コップを窓にぶち当ててしまったとき、窓が割れていないかを心配した。コップ自体は割れてしまったが、窓のほうには、かすり傷一つついていなかった。

窓ガラスが契約書なのかと思ったけど、そうじゃないとすぐに気づいた。契約書はひとの心を映す。残り一つ、最後の契約書は、もっと大きなものだと考えた。

いろいろな家具やものを、手当たりしだいに床に落とした。壁にぶつけた。包丁で突き刺そうともしたが、傷一つつかなかった。床は少しも凹まなかった。

窓や壁、それに床、共通しているのは、家の一部であるということ。

「きみの家の経済状況は、きっとあまりいいものじゃなかった。お母さんが働きづめになるくらい」

そんななかで、仲町は素朴に願った。これまでの契約に比べれば派手さはなく、だからこそ、純粋な一つの願い。祈り。

彼女が口を開いて、明かす。

「『普通の生活がしたい』。そう願った。あの教会跡地で祈った。大豪邸なんかじゃなくていい。高級住宅地とかじゃなくてもいい。お母さんと二人で暮らしていくのに不自由がなければそれでいい。一般的な家。奇麗過ぎず、汚れすぎていない、通り過ぎた後はすぐに忘れてしまうような一軒家。そういうのを想像して、祈った」

そうして生まれた。

この家が。この契約が。

「そこからだんだん、タガが外れてきた。普通の暮らしができたから、次はおしゃれもしたくなった。洋服が欲しくて、お金が欲しくて。ぜんぶ手に入ったら、今度は誰かに見てほしかった。陸上部にいたときみたいに、注目を浴びたかった。これがあたしだって、証明したかった」

人と比べて、確かめて。

劣っていれば不安になるし、勝っていれば安心する。

自分がたどっているステップは、ひとよりも遅れていないだろうか。ちゃんと世の中が決めた速度についていけているだろうか。僕もよく気にしていた。誰よりも速いひとが、そばにいたから。

「ねえ、どうしたらいい？　作楽くん、あたしはどうしたらいい？」

これまでとは、明らかに違う口調だった。その言葉に裏はなく、どうしたらいいか本当にわからず、こちらに答えをゆだねているのだとわかった。助けを求めている、そういう声色だった。仲町はいま、この瞬間だけ、まっすぐに向き合う権利を僕にくれていた。

僕が仲町にしてあげられること。考えながら、口をついて出たのは、ようやく見つけた本音だった。

「ずっと一緒にはいられない。仲町の願いを、僕はすべて叶えてあげられない」

「作楽くん」

「だけどひとつだけ約束できる。きみがどんな名声を持っていても、どんな家に住んでいても、どんな服を着ていても、僕はきみを嫌いにならない。それだけは誓えるよ」

長く見つめ合う。目をそらさない。誰かの耳あたりの良い言葉じゃない。自分の言葉で伝えられたから、そらさずにいられた。

ばし、と家の外壁にヒビが入る。無数の線をつくり、伝っていく。窓ガラスが割れる。内側から光の塵が漏れる。

仲町がそっと、家の壁に手を触れる。その体が震えているのがわかった。僕はよりそい、彼女の手に、自分の手を重ねる。

屋根のかわらが落ちてくる。外壁が崩れ、窓が溶け、家を構成していたあらゆるものが朽ちていく。

「壊れて」

仲町が祈るように、そっとつぶやいた。

光に包まれ目を閉じる。

現れたのは、お世辞にも決して奇麗とはいえない、二階建ての小さなアパートだった。

『一般的』に言えば、みすぼらしいとさえ表現されそうである。だけど僕は驚かない。ぜんぶ受け止めると決めている。この意思がくじかれないかぎり、モーンガータに負けることはない。僕も、仲町も。

「嫌いにならないよ。言っただろ」

「ならない？」

仲町はうつむく。表情は見えない。

ふうう、と長い息を吐く。どっと疲れが押し寄せる。最後の契約書が破棄されて、ひとまずは安心できた。

きっと仲町も疲れているだろう。今日のところは解散して、またあとでゆっくり話せばいい。そう思って、黙って去ろうとした、そのときだった。

「作楽くん。きみの言葉、うれしかった。本当に。だからやっぱり明かそうと思う」

「……明かす？」

「家に入ってみて」

仲町がアパートの敷地に入っていく。砂利を踏みしめながら、僕もゆっくり、そのあとを追う。なんだろう。まだ何か、残っているのか。

１０１と書かれた部屋番号の前で仲町が立ち止まる。そこが本来の住居らしかった。ポケットから鍵をだし、ドアを開ける。

一軒家のころのような、奇麗で広々とした玄関や廊下はそこにはない。だからといって、人が住めないほど酷い状態というわけでもない。むしろ片付いていて、こちらのほうが僕は落ち着く印象があった。

「残り少ない時間を削っても、あたしのために動いてくれた。それに報いたい。きみに嘘はつきたくないから。たとえ、嫌われても」

「仲町、いったい何を」

そこまで言いかけて、僕はようやく、その廊下に、一般的なアパートにはない部分があることに気づく。

廊下の壁には、奥の部屋へ伝ってまっすぐ手すりが備え付けられていた。よく見れば、玄関に備え付けられたげた箱の横には、松葉杖《まつばづえ》とたたんだ車いすが置かれている。

「大家さんに言って、特別に手すりをつけてもらってるの」

「これは、きみのお母さんのため？」

「違う。あたしのため」

そして、げた箱の上に置かれた、それを見つける。

最初は小さな金属の部品かと思った。手に取り、正体がやっとわかった。

ヘアピンだった。不自然な形で曲げられて、いつゴミ箱に捨てられてもおかしくない状態のヘアピン。僕はそれを、一度見ている。

「もしかして、これって」

「そう。デートの日、きみの目の前で握りつぶしたヘアピン」

彼女は契約書であるようにそれを見せて、僕の前で壊した。てっきり、光となって、消えたものだとばかり思っていた。

だけど消えていない。壊れていても、消えていない。それは契約書なんかではなく、ただの、どこにでも売っている既製品だからだ。

彼女は数を一つ偽った。

握りつぶしたあのときの仲町の姿と、嘘をつきたくないと言ってくれた、いまの彼女の姿が重なる。目が合って、その口が開く。

「あたしが交わした契約は、あと一つだけ残っているの」

仲町は玄関に置かれたスニーカーを拾いあげて、自分の手に乗せる。それはいつも彼女が履いていたスニーカーだった。土で手が汚れても、仲町は気にしなかった。

「陸上部の大会が終わって、お母さんの迎えを駅で待ってた。雨が降ってきたから、ロータリーの庇《ひさし》の下にいたの。その庇が落下してきて、あたしは脊髄を損傷した」

そのときに履いていたスニーカーだと仲町は言った。怪我をして引退をしていたのは聞いていた。だけど、それほど大きな怪我だと知らなかった。

「車いすと松葉杖の生活が続いた。もう陸上はできないと知って、自分がなくなるみたいで、辛《つら》かった。積み上げてきた努力も、成果も、自信も、ぜんぶ無くなった」

仲町は続ける。

「何より耐えられなかったのは、お母さんが早く迎えにこられなかった自分を責めて、夜、泣いていたこと」

そんなとき。彼女の前に、あいつが現れた。

「モーンガータはあたしにささやいてきた。『きみは救われるべきだ。辛い目にあわなくていい』って。あたしはあいつの手を取った」

契約書として生まれたのが、スニーカーだった。それが仲町渚が交わした、最初の取引。普通の暮らしをしたいと願うよりも前の、最初の願い。

『自分の足を治してほしい』。

元通りにしてほしい。悲しむお母さんを見たくない。

後悔を帳消しにしたい。理不尽をなかったことにしたい。その一心で、仲町はすがりついた。

言葉が出なかった。

自分自身を、見ているようだったから。願いの内容は違っても、彼女は自分そのものだと気づいたから。

「ほかの願いなら取り消してもいい。もう多くを願ったりしない。作楽くんのおかげであたしも目が覚めた。でもね。この願いだけは、この元に戻った足だけは……」

譲れないと。これだけは消せないと、彼女は訴える。

「作楽くんが言うように、陸上に関する願いを叶えようとしなかったのは、罪の意識があったから。ズルをしているってわかってるから。ただ歩けるだけでいい。人並みに走れればいい。私はもう陸上はしない。罪悪感と一緒に、抱えて生きていく」

仲町の涙が伝い、スニーカーに落ちる。布地にしみこんで、涙が消えていく。汚れは落ちない。ただそこにありつづける。

『受ける、その取引。僕は姉さんを生き返らせる』

そして僕は何も言えなかった。言う資格などなかった。ほかの誰もが仲町を責めたとしても、僕にだけはできなかった。

それは、自分自身を否定することになるから。程度は違っていても関係ない。僕と仲町は、自分自身で分かっているその一線を、越えている。

叶ってしまえば、それにすがりつくしかない。それしか道がなかった。後戻りができなかった。そういう願いを、モーンガータに託してしまったから。

彼女から願いを無理やり引き剝がすこともできる。簡単だ、僕がモーンガータに願えばいい。仲町の足を契約する前に戻せと。だけどそんな選択は無意味だし、考える限りでは最も愚かな方法ともいえる。仲町自体の意思が変わるわけではないから。きっとすぐにでも契約を結び直すだろう。僕と仲町で、寿命のオークションなんていう悪趣味なことさえ行われかねない。そうなったとして、僕の少ない寿命ではそもそも勝ち目がない。

「作楽くんはこんなあたしを、軽蔑する？　嫌いになる？」

答えは決まっていた。

「ならないよ。僕はきっと、誰よりもきみの気持ちがわかるから」

仲町渚は一四個の取引をモーンガータと交わした。僕が消すことができたのは、そのうちの一三個だった。たった、一三個だけだ。

彼女は僕と同様に、この先もモーンガータにささやかれ続ける。その呪縛から、助けだすことができなかった。僕の負けだった。

「ありがとう、作楽くん。きみと会えて良かった」

帰り際、見送る彼女が僕に言った。お礼を言われる立場ではないのに。それでも仲町は、本当に、感謝しているみたいに笑ってくれた。

今すぐではなくてもいい。

それでも、いつの日か。

僕のささいな言葉や行動が、仲町とモーンガータを完全に切り離す、そんなきっかけが訪れることを、祈るしかなかった。

†

期待した結果にならなかった失望と、思わぬところから降ってくる希望。僕は短い間に、その両方を抱えることになった。

仲町との一件が過ぎ、一一月に入ったある日のことだった。僕の命はとうとう一〇日を切っていた。自室で卓上カレンダーを眺めながら、自分の最期をどこで迎えようかぼんやり考えていると、ドアがノックされた。姉さんだった。

「お邪魔します、いま大丈夫？」

「うん、暇してた。どうしたの？」

「ちょっと相談があってさ」

「相談？」

その響きの言葉を、姉さんから聞くのが信じられなかった。思わず、笑ってしまう。

姉さんは目ざとく気づき、不機嫌そうな顔をする。

「わたしが弟に相談したら悪いの？」

「ごめん。めずらしいと思っただけだよ。相談って何？」

そして姉さんは。

重大な発表をするように、深呼吸を一度はさんで言った。

「わたし、そろそろ学校、行ってみようかな」

その日をきっかけに。

僕らの運命は、モーンガータにすら予想のつかない結末を迎えることになる。

四章　天国にはきっと行けない

「最後にはうまくいくようにできている」

姉さんがことあるごとに使う口癖。僕はその言葉が嫌いだった。才能があり、何をやらせても上手くいく人の、驕《おご》ったセリフだと思った。姉さんにはできない人の気持ちはわからない。何をやらせても不幸な結果を招く人もいることを、知らない。だからそういう気楽なことが言える。

その認識が変わったのは、姉さんに代わって、人助けに時間を捧げてからだった。その間、普通に生きていれば出会うこともなかったであろう、様々な人たちと話をした。年も背丈も性別も、性格も関係ない。一様に共通していたのは、予想もしていなかった理不尽に見舞われたり、不条理な目に遭っているという部分だ。

何が起こってもおかしくない。明日になれば、今日まで想像もしていなかった日が訪れることもある。だけど最後にはうまくいくようにできている。あの言葉は、姉さんなりの、運命への向き合い方に対する答えなのだろう。

モーンガータと出会ってからの四か月。

僕は姉さんのように生きて、姉さんはかつての僕のようになっていた。

僕は姉さんに自分の秘密を隠し続ける。墓に入るまで明かさないと誓っている。目が合うたびに、会話をするたびに、罪悪感が肩をたたき、ときにはささやいてくる。ずっとこのままだったらどうするつもりだ。誰が責任を取る。お前は一人勝手に死んで、自分の代わりに、この家でひとりきりにさせるのか。ぜんぶ最初から、間違いだったんじゃないのか。

押しつぶされそうになって、それでも信じ続けた。姉さんは自力で立ち上がると。そしてとうとう、待ち望んでいた言葉がやってきた。

「わたし、そろそろ学校、行ってみようかな」

生き返ったばかりのころ、姉さんは一度、学校に復帰しようとして失敗した。でもいま、もう一度、立ち向かおうとしていた。

外には出歩ける。買い物にも図書館にも行ける。それでも学校にだけは行けなかった。きっと、姉さんの将来の夢が関係しているのだと思っていた。学校は姉さんにとって、ただ通う場所ではなく、自分の将来や未来を意識するための場所でもあったはずだ。無意識に未来を拒んでいる姉さんは、だから学校に行こうとしなかった。

それでもいま、ついに、進もうとしている。

「うん。いいと思う。僕も一緒に行くよ」

この人生はきっと報われる。最後の一日まで、僕は姉さんのために生きよう。

†

小学校三年生のとき、一度だけ不登校になりかけたときがあった。クラスメイトにいじめられたことが原因だった。仮病を使って二日ほど休めたが、三日目にとうとうごまかしきれなくなり、そのときは世界の終わりのように感じられた。自分の身を守ってくれる安全な場所は家しかなかった。外に出れば誰も自分を助けてくれない。

玄関前で立ち止まったまま、なかなか靴を履こうとしない僕のそばに、姉さんがいてくれた。学校に行きたくない理由を話すのに時間がかかった。姉さんは辛抱強く待ってくれた。

「紙粘土をつかった工作の授業があって、そこで僕、ティラノサウルスをつくった。先生に褒められてうれしかった。それでクラスメイトに生意気って言われて」

「何をされたの？」

「模型を壊された。それから上履きを隠された。授業中、黒板に算数の答えを書きにいくとき、足をひっかけて転ばされた」

自分はこれだけ弱いんです、ということを、丁寧に説明するこの時間が、たまらなく悔しくて、惨めで、最後には声もしぼんでいった。思い出すたび、もう一日休みを延ばしたくなった。姉さんに両親を説得してもらおうと、頼もうとさえした。だけど姉さんは違う方法で、もっとまっすぐなやり方で、僕を助けてくれた。

「わかった。ちゃんとぜんぶ聞いた。お姉ちゃんがなんとかしてあげる」

「なんとかって、どうやって？」

「作楽は何も心配しなくていい。だから一緒に、学校行こう。大丈夫、あたしがついてる」

姉さんが手を差し出してくる。自信に満《み》ち溢《あふ》れていて、気づけば無条件で信じていた。僕は姉さんに手をつながれたまま、登校した。

翌日から、僕のいじめはぴたりと止《や》んだ。クラスメイトが僕にちょっかいをかけることは、それから二度となかった。どうやったのかはわからない。とにかく姉さんは、僕の知らないところで、あっさりと問題を解決してしまった。

†

姉さんが元通りの生活を取り戻すための、最初の一歩であるその日から、学校は文化祭の準備期間に入った。

放課後の部活動は原則禁止になり、空いた時間で文化祭の準備が行われる。授業自体は通常通り行われるので、始業時間は変わらない。そして僕らは遅刻寸前だった。姉さんが玄関で靴を履き替えるのに一〇分もかかっていたせいだった。

「やっぱり学校に行くこと、事前にみんなに伝えておいたほうがいいかな。いきなり行ったら気を遣われたり……」

「しないよ。このやりとりは五分前もしてる。姉さん、早く」

「いやでも作楽、このローファー見てよ。ちょっと先のところがこすれて、傷みができてるの。目立つと思うんだ。せめてこの傷を直してから」

「誰も気にしないから」

「やっぱり明日からにしようかな」

強引に腕をひっぱり、立たせる。玄関を出て、今日は家が空っぽになるので鍵をかける。腕を引かれている間、うあああ、と姉さんは変なうめき声をあげながら、踏ん張って抵抗する。地面との摩擦でローファーがさらに傷みそうだった。

歩きだして少し経つと、観念したのか、抵抗する力が弱まる。安心して腕を離すと、全速力で家に戻っていったのであわてて追いかけて捕まえた。

「病院に連れていかれる動物か」

「だって、怖いんだもん。いまさら登校しても卒業できるかあやしいし。進学先もまだ決まってないし」

「家でひたすら勉強してただろ。姉さんなら学力は問題ないよ。どこでも行ける。出席日数のことは、担任に相談してみればいい」

「緊張で吐きそう」

これが本当に姉さんなのか。僕が尊敬し、コンプレックスを抱えていた相手だったのか。ある意味では貴重で、二度とお目にかかれない光景ともいえる。

「学校に行くって言ったじゃないか」

「じゃあ作楽、手にぎっててよ」

「手？」

「校門の近くまででいいから。そうしたら、ちょっと勇気でる」

予想していない言葉だった。自分の姉と手をつないで歩くなんて、いつぶりだ。

姉さんが大事なものを託すみたいに、そっと自分の手を差しだしてくる。妙な恥ずかしさがこみあげてくる。躊躇する前に決めて、僕は姉さんの手を取った。

「ふふ、ありがとう」

「……もしかして、わざと登校できないフリしてる？」

「さあ、どうでしょう」

ほら行くよ、と手を引かれる。はしゃぐように、ぶんぶんと握った手を振りまわす。

どうやら騙されたようだ。ぜんぶ演技だったらしい。心配して損をしてしまった。なんとか振りほどこうとするが、ぎゅっとつかまれ、離してくれなかった。

「ねえ作楽、いま学校に好きな人とかいないの？」

「なんだよいきなり。いないけど」

「本当はいるんでしょ？　ねえ誰？　誰？　教えなよ、あとで会うから」

「いないってば」

「恥ずかしがっちゃって。お姉ちゃんにだけは話していいんだよ。ほら、ほら」

久々に、騒がしい登校だった。

何人かの生徒に手をつないでいるところを見られた。恥ずかしさに耐えているうち、校門の前までつく。学校の敷地内にあたるその境を越えようとしたところで、姉さんが止まった。握っている手を見ると、少し震えていた。どうやら緊張しているのは、完全に演技というわけではなかったらしい。

「大丈夫だよ。学校なんてただのハコだ」

「作楽……」

「最後には、うまくいくようにできている。そうだろ？」

姉さんはそっと微笑んだ。僕から手を離し、歩きだす。僕も半歩後ろをついていく。昇降口に入り、上履きに履き替えていると、さっそく誰かが姉さんに気づいた。僕の知らない女子だった。

「葉月先輩！　学校にきたんですね！」

「お、おはよう。うん、今日から」

向こうのテンションに戸惑いながらも、姉さんは笑顔で対応する。そうしていると、次々と姉さんに気づいたクラスメイトや知り合いがやってくる。雪崩《なだれ》のようで、僕はあっという間に隅に追いやられてしまった。

久しぶり、会いたかったという声。文化祭の準備の指揮や段取りを手伝ってほしいという声。部活のマネージャーを引き受けてほしいという声。恋人と別れそうだから仲裁に入ってほしいという声。委員会の会議の進行に関する相談。

想像していた通りの光景だった。気づけばひとの中心にいる。初めは戸惑っていた姉さんも、少しずつ余裕を取り戻し、順番に話を聞いていく。

口だけではなく手も動かせる。いつの時代も、人の記憶に残るのはそういう人間だ。姉さんは手を動かす人間だった。

「田越くん。おはようございます」

背中から名前を呼ぶ声がする。一瞬、姉さんを呼んだのだと思って無視したが、肩を叩かれたので、あわてて振り返る。そこにいたのは富士見だった。

「ごめん、自分だと思わなくて。おはよう富士見」

「じゃあやっぱり、あそこにいるのって」

「うん、僕の姉さん。会って話してくる？」

「あんな人混みに入ったら気絶します」

確かに富士見は、人の多いところは苦手そうだ。自分の何かささいな行動ひとつで、視線を集める可能性が増える。

姉さんが僕らのほうに気づき、手を振ってくる。姉さんに富士見のことは前もって話してあった。雰囲気も伝えていたので、誰かすぐにわかったのだろう。僕は手を振り返し、富士見はお辞儀をした。

「作楽くん、放課後って空いてますか？　よければ文化祭の準備を、手伝ってほしいんです」

「いいよ。うちのクラスは何も出し物ないし」

「よかった。それじゃあ、あとで」

富士見と別れ、再び一人になる。姉さんはまだ知りあいと話しこんでいた。僕も静かにその場を離れた。そして富士見に名前で呼ばれたことに、あとで気づいた。

放課後になると、よそのクラスからの生徒たちがいっせいになだれ込んできた。うちが出し物をしないクラスであることをみんな知っていて、人員確保のスカウトにやってきたのだ。よそのクラスにとってみれば、うちは豊作が約束された狩り場である。友人の高野も、さっそくつかまっていた。

僕も富士見との約束を思い出し、席を立つ。すると、廊下のほうから名前を呼ぶ声がした。富士見かと思ったが、彼女よりも明るく張った声だった。見ると仲町だった。

「やほー、作楽」

「おつかれ仲町ー」

「突然で悪いんだけどさ、文化祭の準備、手伝ってくれない？　そっちのクラスは何もないんでしょ」

「このあと富士見の手伝いに行く予定なんだけど」

「いいじゃん、すぐに終わるから」

積もる話もあるし、と続いた言葉に、意識がひっぱられる。悩んで、少しで済むからとさらに念を押され、結局ついていくことにした。あとで富士見に謝らないといけない。

「ところで仲町のクラスは何を？」

「紳士&メイドカフェ。教室の壁を飾る段ボールが大量にほしくて。だからそれを運ぶの、手伝って」

昇降口で靴に履き替え、そのまま校門を出る。段ボールは許可をもらっている近くのスーパーに受け取りにいく手筈《てはず》になっているという。歩いている途中、自販機で仲町がジュースをおごってくれた。今日のお礼だという。

「それから、この間は、ありがとう」

この間のこと。積もる話のこと。

仲町はモーンガータとの数々の契約を手放した。巨大な、家の形をした契約書を壊し、そして最後に真実を知った。彼女の足のこと。

「あれから、クラスのみんなはあたしのことを全然見なくなった。でも不思議と気持ちが軽い。あと、自分が思っていたより、まわりはそんなに不感症じゃなかったみたい。何かをすれば、ちゃんとリアクションが返ってくるね」

不感症という言葉のチョイスが可笑しかった。だけど、言おうとしていることはわかった。まわりは思っていたよりも、自分の行動を見てくれる。

「お礼なんていい。結局、僕は中途半端に関わるだけだった。最終的に、契約を捨てると決断したのは仲町だ」

「捨てるものと、背負うものを分けただけ。こうやって普通に歩いているだけで、あたしはみんなよりもズルをしている。そういう罪を背負う」

仲町の言葉を借りるなら、僕も自分の罪を背負っている。何かの偶然か、そんな僕らの歩幅は、ぴたりと一致している。出す足のタイミングも同じで、二人三脚をすれば誰にも負けなさそうだった。

「これがあたしだ、っていう何かを見つけようと思ってるんだ。まだぜんぜん、漠然としてるけど。あとは不特定多数の他人じゃなくて、すぐそばにいるひとが、こっちを見て離せなくなるくらいの、何かでありたいって思ってる」

「仲町ならきっとすぐに見つけられるし、叶えられるよ」

「こりゃあ伝わってないな」

何が？　と聞くが、何でもない、とそっけなく返された。話しているうち、スーパーについた。

敷地内に入っていく。駐車場を通り過ぎて、建物に沿って歩き、バックヤードを目指す。その途中で姉さんと出会ったのは、偶然ともいえるし、必然ともいえた。

「あ、作楽。おつかれ。そっちも買い出し？」

「いや、段ボールをもらいに」

姉さんは両手にジュースやスナック類が入った買い物袋を持っていた。準備をしているクラスメイトのためのものらしい。姉さんのスカートのポケットでは、携帯がひっきりなしに鳴っている。

「こんにちは」仲町が挨拶をする。

「作楽の彼女かな？」

「違います。まだ」

「そっか。楽しみ」

「また挨拶させてください。お姉さん」

お姉さんかあ、と笑いながら去っていく。その背中を眺めていると、仲町は先に行ってしまった。あわてて後を追う。

バックヤードで段ボールを回収し、あとは学校に引き返す。その途中で仲町が言ってきた。

「作楽と葉月さん、雰囲気がよく似てるよね。さすが家族」

「似ようとしただけだよ。少し前までの僕を見たら、きっと幻滅する」

「へえ、見てみたかったな」

今にして思えばかなり痛々しい。常に何かしらに対してふてくされていた時期だ。こうして変わろうとしていなければ、富士見にも、仲町とも、出会うことはなかっただろう。それくらい、僕の世界は閉じていた。

「作楽は葉月さんを生き返らせたんだよね」

「うん。自分の寿命を差し出した。手数料は引かれたけど」

「それなら、作楽はあとどれく……」

そのときだった。昇降口のほうから誰かが走ってくるのが見えた。富士見だった。走り方があまり上手ではないけど、必死にこちらに近づこうとしてくるのが伝わってくる。

何か怒っている風にも見えた。

たどりついた富士見に、笑顔の仲町がまず挨拶をした。

「やあ富士見ちゃん」

「何勝手に連れまわしてるんですか。作楽くんには手伝いをお願いしてたのに」

「だって作楽の教室に先に着いたの、あたしだし」

「先に約束してたのは私です」

この二人が会話をしているのを見たのは、いつぶりだろうか。初めて仲町と接触したとき以来な気がする。中学は同じだったというけど、雰囲気的にはやはり、それほど仲は良くなさそうだった。

「あたしを止めたければクラスでも消しておくんだね」

「あなたこそ大人しくアイドルや水着モデルでもやってたらいいんです」

「それは恥ずかしいからもう言うな！」

仲町がわかりやすく赤くなる。モーンガータに願った欲望は、基本的にはそのひとのコンプレックスに触れるのと同じだ。富士見は上手いところを突いたらしい。

「作楽くんはこちらに返してもらいます」

「まだ段ボールを運んでもらってる途中なんだけど」

「そこに置いて往復して戻ってくればいいじゃないですか」

「やだよ面倒くさい。それなら富士見ちゃんが手伝ってよ」

「いいですよ」

富士見は僕から持っていた段ボールを取りあげて、仲町とともに並んで行ってしまった。「私のクラスで待っていてください」と言われたので、その通りにした。

富士見のクラスは劇の準備をしていた。舞台に飾る装飾品をつくっている最中らしかった。邪魔にならないよう、なるべく壁際を移動すると、見知った顔を見つけて声をかける。溝口だった。相変わらず、動きやすいジャージの服装をしていた。舞台装置の一つだろうか、ハサミを握り、草の茂みのようなものをつくっていた。

「田越くん。久し振り」

「初めて会った時も、きみは刃物を握っていたね」

「またつきつけてあげようか？」

ちゃんと話すのは、あの日以来だ。富士見が教室に乗り込み、制服泥棒の件を自分で解決したとき以来。あれからも富士見は溝口と親交を続けているようで、どこに遊びにいったとか、どんな話をしたとか、たびたび近況も聞いている。

「富士見に呼ばれてきたんだ」

「田越くんがいなくても人は足りてるけどね。でも、きみを追い返すと今度こそ伊織に嫌われそうだから、いまは歓迎してあげる」

溝口は茂みの作成に戻る。僕も手伝おうと、腰を下ろす。数秒の間があって、彼女が続けた。

「伊織といまも話せてるのは、きみのおかげでもある。だから、ありがとう」

「僕はほとんど何もしてないよ。でも、二人が仲良くしてるところを見られるのは、安心する」

「伊織の制服、鞄につっこんでごめん」

「あれ、家族にもばれて大変だった」

溝口が笑う。

やがて、仲町の手伝いを終えた富士見が教室にやってきた。溝口が立ち上がり、ほかのグループの手伝いに移動する。入れ替わるように、僕の前に富士見が座った。

「作楽くん、ごめんなさい」

「いいんだよ。僕のほうこそ、段ボール運び代わってもらっちゃって」

「来週、メイドになった仲町さんをからかいに行きましょう」

出し物の内容を知るくらいには、意外とちゃんと会話をしていたらしい。

「富士見のクラスは劇か何かを？」

「はい。グリム童話の一つで、一応『マレーン姫』というのを。服飾をやってみたいっていう女子が多くて」

「富士見は何か役をやるの？」

「私が舞台に立つと思いますか？　ひとが気絶するところを生で観たいですか？」

自嘲する富士見からカッターとプラスチック板、マーカーをもらい、草の茂みづくりに取り掛かる。それが終われば次は城の外壁。それから檻《おり》のようなパーツもつくった。

黙々とした時間が続くが、気まずい雰囲気ではなかった。たとえば図書館で、お互いに違う本を持ち寄って読んでいるような、そんな空気。

もう少し浸っていたいとも思ったが、そろそろ切り出すことにした。

「それで、用事は？」

「え」

「何か聞きたいこととか、あったんだろう」

「別にないです。手伝ってもらいたかっただけです。この草影のギザギザをつくるには、器用な手つきの作楽くんが必要だと思ったからです」

「ごめん富士見、実は僕、さっきカッターで指を切った」

傷を見せると、富士見が悲鳴をあげた。急いでばんそうこうを取りだし、指に貼ってくれた。準備が良かった。僕が不器用であることを証明して、そしてとうとう、富士見は観念したように、口を開いた。

「ひとつ教えてください」

「うん」

「作楽くんは、自分の寿命と引き換えにお姉さんを生き返らせたんですよね」

「うん」

それなら、と富士見は先を続ける。

きっと訊かれると思っていた。そろそろだと、覚悟を決めていた。僕は彼女の質問を静かに受け止める。

「あなたの寿命は、あとどれくらい残っているんですか？」

七月。僕はモーンガータと契約をかわした。

四か月を削りきって、僕の残りの命は。

「もう長くない」

首にかけたネックレスを外す。常に肌身離さず身につけていた。逆さ十字架。僕にこれを壊す意志はない。だからいまも、傷ひとつなかった。姉さんにはもちろん、両親にも気づかれていない。これを堂々と表に出せるのは、ひとりでいるときか、あるいは富士見たちのように、事情を知っているひとの前だけだ。

そのとき、富士見が僕の手から、逆さ十字架をふんだくった。普段の動きからは想像もできないような素早さだった。

富士見は十字架を床に置く。もう片方の手に握ったハサミを、そのまま突き立てる。刃先の欠ける鈍い音がするだけで、十字架に傷はつかなかった。クラスの何人かがこちらを見たが、すぐに自分たちの作業へ戻っていった。

「無駄だよ。契約書は僕にしか壊せない」

「ずるい。ずるいです、作楽くんは」

「うん。わかってる」

富士見の、ハサミを握る手が震えていた。うつむき、その顔は見えない。広げた新聞紙の上に滴が垂れる。僕のことを思い、ここまで泣いてくれるひとがいる。その涙をぬぐう資格も、手段も僕にはなかった。

「私には、契約書を壊させたくせに。自分だけ……」

「富士見は僕よりも、何倍も立派で、強いひとだ。だからモーンガータの契約なんかいらなかった」

「作楽くん。死なないでください」

「ごめん」

「あなたと会えなくなるのが、私は嫌です。あなたが死んだあと、契約で生き返らせるかもしれませんよ。いいんですか」

「それは困る」

「じゃあ生きてください。このまま、生きてて、くださいよ」

僕の決意は変わらない。それを彼女も理解していた。富士見の前に置かれた逆さ十字架を、そっと回収する。彼女は抵抗しなかった。ハサミを手放し、それから立ちあがる。

「もう知らない。あなたなんて、知らない。消えちゃえ」

走り出し、それきり戻ってこなかった。

富士見の手伝いを終え、自分の教室に戻るころにはもう誰もいなかった。教壇の前の明かりだけ点《つ》けっぱなしになっていたので、消しておいた。鞄を持ってまっすぐ帰ってもよかったが、少し疲れたので休憩する。

ふと、窓から見える渡り廊下に、姉さんがいるのが見えた。また別の出店ブースの手伝いだろう、撮影機材のようなものを抱えている。あのひとは本当に動きっぱなしだ。朝の不安を抱えていた顔が嘘みたいで、思わず笑ってしまう。

「よかったじゃないか、お姉さんが学校に復帰できて」

声がした前方を見る。

天井にモーンガータがはりついていた。重力を無視して、天井を床代わりにあぐらをかいている。着ているつぎはぎのコートは、いつも通り、でたらめな配色のデザイン。長い髪だけが垂れ下がり、不気味なのれんが広がる。窓から差し込む夕日に照らされ、髪のなかの何かが反射し、きらきらと光る。宇宙だ、と思った。

「これでもう思い残すことはないかな？」

「僕が死んでせいせいするか」

「そりゃあもう。手こずらされたからね」

モーンガータが続ける。

「今日はただの雑談にやってきた。中身のない、きみの残り少ない寿命をただ浪費させるための時間稼ぎだ。いちおう聞いておくけど、きみ、自分の残りの寿命はちゃんと把握しているのかな？」

こいつに隠していてもしょうがない。寿命を告げられたあの日から、僕は日付をカレンダーで消し続けてきた。富士見に告げたときよりも具体的に、僕は寿命の日数を明かす。

「あと二日。そのうちの一日はこうして陽が沈んで終わろうとしているから、僕に残された命は、実質あと一日だ。そして明後日《あさって》が僕の命日になる」

モーンガータが笑う。楽しみにしているCDの発売日が迫っていて、その日付を再確認したとき、僕もきっと、そういう笑みを浮かべるだろう。

「自分がどうやって死ぬのか、気にならない？」

「なるべく悲惨なものは避けたいと思ってるけど、どうにもならないんだろ」

「ああ、どうにもならない。何かの手違いで、きみの死がなかったことになる、ということは絶対にない。奇跡は起きない。それだけは断言しよう」

思い残すことはないかと、こいつは訊いてきた。後悔はないが、心に残り続けていることがまだあった。

「最後に確認させろ。僕が死んだあとも、姉さんは生き続ける。僕の死同様、これも確実だな？」

「ああ、前も話した通り、きみの死後も契約がなかったことにはならない。契約書が破棄されない限り、契約によって実現された結果は持続する。もし何かあるとすれば、きみの姉さんの死を誰かが願って、その人間と契約するパターン。つまり上書きだ。その場合、きみの姉さんは寿命を迎える前に死ぬ」

姉さんの死を望むやつなんていない。もしありえるとすれば、その誰かは、地球上でたったひとりだろう。それは――

「最後に弁解をすると、ひとつ勘違いしないでもらいたいのは、私は別にきみが嫌いだからという理由で、きみの近くにいる人間に契約を持ちかけていたわけじゃない。契約に都合のいい人間のそばに、作楽がいたというだけだ」

「どういう意味だ」

あぐらをかいていた体勢を崩し、天井から降りてくる。誰かの机に着地し、別の机に飛び移る。それからまた、別の机に移動する。一人ひとりをゆっくり、丁寧に、踏みつぶしているように見えた。

「主に勧誘しているのは、一〇代から二〇代前半までの人間だ。高校生という時期は、まさにそのど真中《まんなか》にあたる。そういう層は契約を交わしやすいんだよ。だから教会跡地の神様の噂を利用して、あそこを拠点にもしている」

「どうして」

「それは自分で考えな。死ぬまでの退屈しのぎにはなるだろう」

モーンガータが机から床に降りる。着地の音がまったくしない、非現実な存在。

それからおもむろに、カーテンの奥からオセロ盤を出してきた。椅子を引っ張り出し、僕の向かいに座ってくる。オセロ盤を机に乗せ、有無を言わさず、セッティングを始める。

「最後に一戦交えようじゃないか」

「……お前、まさかこれが目的か。リベンジのために会いにきたのか」

「リベンジもなにも、最初から負けていない。前にやったときは地震で揺れて盤がひっくり返っちゃったからね」

「違う、お前の手がひっくり返したんだ」

「ほら始めよう」

怪物が白を持つ。

盤面を進めながら、会話を再開させる。

「ところでだけど、きみはこうは考えないのかな？　自分が死んだあと、あるいは死ぬ直前、この数か月で親交を持ったひとたちが、きみのために寿命を差し出すなんていう、お涙ちょうだいな展開とか」

「……………」

「富士見伊織や仲町渚のことだよ。彼女たちがきみのために自分の寿命を差し出し、きみを生き永らえさせる、そういう未来を想像はしない？」

さっきも富士見は、同じようなことを訴えていた。確かに僕が姉さんを生き返らせたように、同じことをする誰かが現れる可能性もゼロではない。だけどやっぱり、それはありえない。

「僕がそれを望まないことを、彼女たちは知っている。お前にとっては契約のチャンスだろうが、そんなことにはならないと断言しておく。僕の知っている富士見や仲町は、もうお前が思うほど弱くない」

「どうだろうね。状況なんてころころ変わるだろう。幸福を浴びたり、不幸に見舞われたり、その繰り返しだ。変わらないやつなんていない」

白がひっくり返り、黒になる。黒がひっくり返り、白になる。

「まあ、とりあえずいまはきみの勝ちだ。実はさっき富士見伊織と仲町渚に同じ提案をしてみた。二人は揺れてたよ。いろいろ誘惑してみたけど、でも結局最後には、断られてしまった」

すでに行動に出ていたらしい。油断も隙もない。何か壮大な問題に関する答え合わせをした気分になり、どっと疲れが押し寄せる。だけど顔には出さない。

「僕が死んでラッキーだと思ってるみたいだが、先に言っておく。お前を止めるやつはほかにも現れる。それは富士見かもしれないし、仲町かもしれない。僕のやっていたことを、継いでくれるやつがきっと現れる」

ふむ、とモーンガータが相槌《あいづち》をうつ。

「もし実現するなら、厄介なんてレベルじゃない。きみの意志を誰かが継ぎ、そいつが倒れれば、また別のやつが意志を継ぐ。半永久的なシステム」

言いながら、モーンガータは少しも焦っているような素振りを見せない。

そしてこいつが反撃のための言葉をすでに持っていることを、僕はすぐに知ることになった。

「だけど二人が、きみの本性を知ったらどうなるかな」

「……どういう意味だ」

白が黒に。黒が白に。

「きみが私の邪魔をしてきた理由はだいたいわかる。自分の姉に代わってひと助けをしようとか、そんなところだろ。でもきみは田越葉月にはなれない。素質とか、技術とか、才能とか、そういう問題じゃない。根本的に違う部分がある」

姉さんになれないことくらい、最初からわかっていた。だけどこいつが言いたいのは、そういうことじゃない。そんな表面的な部分の話ではない。それがすぐにわかった。モーンガータはいま、前置きも躊躇も何もなく、僕の一番触れられたくない部分に、手をつっこんでこようとしていた。

「きみは他人を思って、誰かを助けていたわけじゃない。自分を守るために他人を助けていた。そこがお姉さんとの決定的な違いだ」

オセロの盤面に視線を逃がす。占領した黒の領地が、白に塗りかえられていく。徐々に、侵食されていく。こいつは僕の心を把握している。いったい、いつから。

「結局、お前、自分が一番好きなんだろ？」

手が止まる。動揺を悟られないよう、目についた場所にコマを置く。お前、とこいつは言った。きみでもなく、作楽でもなく、お前と。これがモーンガータの本性。

「他人を助けて、それで気持ち良く死にたいだけだろ？　田越葉月を生き返らせたのも、彼女のためじゃない。自分が傷つきたくなかったからだ。責任を負いたくなかったからだ。違ってるならそう言えよ」

僕は答えない。

「富士見伊織や仲町渚は、きみの壮大な自殺のために利用された被害者だ。そういう言い方だってできるだろ。なあ？」

僕は答えない。

「金持ちになりたいとか、きれいになりたいとか、そういう願いのほうがよっぽどわかりやすくて、純粋だ。お前は私を化け物だと思っているかもしれない。でも私から見たら、お前のほうがよっぽど醜い怪物だね。自分の体裁やプライドを守るために、死人さえ生き返らせたんだから」

僕は答えなかった。

気づけば息を止めていた。

「あの二人の女子のことは私に任せておきな。きみはせいぜい、満たされた気分にでもなって、とっとと逝け」

モーンガータの言葉の槍《やり》が、そこでとうとう途切れる。

そして数分後には、オセロにも勝敗がついた。僕は白に埋まった盤をただ、黙って見つめる。ちらりとモーンガータを見ると、満面の笑みを浮かべていた。

モーンガータがオセロ盤の片付けを始める。途中でめんどくさくなったのか、窓から放り投げた。地面に衝突する音は聞こえてこなかった。

「この四か月、まあ退屈はしなかったよ。きみと話す時間は好きだったし、こうしてオセロにも勝てた。そのお礼というわけじゃないけど、最後に餞別《せんべつ》を残しておこう。味わって食べてくれ」

モーンガータが指を鳴らす。

その瞬間、天井から何かの粒が大量に降ってくる。カラフルな小さな粒。体にもぶつかり、落ちるそれを手でキャッチする。

金平糖だった。大量の金平糖が降ってきていた。ばらばらばらばら、とあちこちの床を跳ねて、雨粒のような音が響きわたる。教室を色鮮やかな雨が満たす。

数えきれない金平糖に見とれているうちに、モーンガータは姿を消していた。

呆然とする僕と、教室を満たす金平糖だけが残された。

†

翌日は学校を休んだ。姉さんには体調不良だと嘘をついた。見抜かれていたはずだけど、姉さんは僕の嘘に付き合ってくれた。

「じゃあ今日は、ゆっくり休んでなね。私は学校行くから」

「うん。そうする。いってらっしゃい」

「ところで、昨日の夜から気になってたんだけど、冷蔵庫のなかにあるあの大量の金平糖はなに？」

「……文化祭の準備で、金平糖を使うところがあってさ。余りをもらったんだよ。姉さんも好きだったろ。食べていいよ」

「ふうん。じゃあ帰りに練乳買ってくるね」

「練乳？」

「つけて食べるとおいしいんだよ」

朝の挨拶を終えて、姉さんは家を出ていった。昨日まで不登校だったと言われても、もう誰も信じないだろう。部屋の窓から、走っていく姉さんを眺める。これが正しい光景だ。姉さんはこれからも、外を歩き続ける。

さて、人生最後の一日。厳密には死ぬのは明日だが、明日になればいつ死んでもおかしくないから、僕が持てる自由な時間は、今日一日だけとなる。

全財産を使って寿司《すし》を注文するとか、スピーカーから大音量で音楽を流すとか、何か派手なことでもしようかと考えたけど、結局、僕が決めた過ごし方は、それとは真逆のものだった。

一階の押入れから掃除機を取りだし、部屋に持っていく。コンセントにつなぎ、スイッチを入れる。順調に作動し、床の埃を吸い取っていく様を見つめて満足する。掃除なんて、ずいぶん久しぶりにする。今日は徹底的に行うことに決めていた。

散らかしていたマンガ雑誌をひとまとめにする。要らないものはゴミ袋にまとめる。部屋が徐々にすっきりしてくる。

昼は冷凍庫に残っていた、インスタントのチャーハンを食べた。満腹感とともに部屋のベッドに倒れこみ、そのまま昼寝をする。起きると夕方になっていた。携帯にメッセージの通知があって、開くと、画像が送られてきていた。

映っていたのは三人の女子高生だった。姉さんを真ん中にして、右に富士見、左に仲町がいる。富士見は苦笑いで、仲町はノリ良くピースまでしている。この三人がどんな会話のやりとりをするのか、すごく興味があった。

姉さんが帰ってくるまで、ヘッドホンで好きな音楽をひたすら聴いた。僕が世界で一番好きなロックバンド、R.E.M.のアルバムは、死が近づくいまに聴いても、やっぱり世界で一番だった。

気づくころには夜になっていて、姉さんもいつの間にか帰宅し、夕飯ができていた。両親もすでに食卓についていた。最後の日くらいは僕がつくろうと思ったのだけど、うっかりしてしまった。なんだか意識が冴《さ》えない。

最後の晩餐《ばんさん》は鉄板焼きだった。肉や野菜、焼きそば、あらゆる食材が載せられていく。文化祭の出店のひとつに鉄板焼きをするブースがあるらしく、それに影響されたそうだ。

姉さんはエプロンをつけたまま食べ始める。煙がすぐに充満したので、すぐに窓を開けた。備え付けの警報のサイレンが鳴り、家族全員であわてて、それから笑った。

鉄板焼きのあとは、二人でソファに座り、テレビを見ながら金平糖を食べた。姉さんは約束通り練乳を買ってきた。つけて食べると、うっとうしいくらい甘かった。皿に盛られた金平糖を二人でゆっくり、消化していった。

テレビでは映画がやっていた。巨大な宇宙船が町の上空に現れて、破壊していくシーンが流れる。自分の命を一番に優先する住民たちが、押しのけ合い、逃げていく。踏みつぶされるお年寄りが映る。この世の終わりだ、とあきらめて嘆くものもいた。タイミングが良いかもな、と思い、そっと姉さんに訊いてみることにした。

「もしも人生最後の日になったら、姉さんは何をする？」

「んー、そうだなぁ」

姉さんの漏れる息から、かすかに砂糖の甘い香りがする。

「わたし、この街、好きだからさ。街を見渡せるところに行くかな」

「そっか」

「あと高いところにいれば、宇宙船の攻撃も届かなさそうだし」

「意外と強《したた》かだ」

「そういう作楽はどうするの？　人生最後の日、何をする？」

「部屋をきれいに掃除する。昼寝をして、好きな音楽をベッドで聴く」

今日実行したことを、そのまま報告するだけだった。細かく伝えすぎて怪しまれるかと少し身構えたけど、姉さんは微笑んでこう言ってくれた。

「いいね。とても作楽らしいと思う」

僕は少し泣きそうになった。

†

翌日。目を覚ますと、普段アラームが鳴る五分前の時刻だった。ベッドから立ち、自分の意識や体が、まだ現実にあることを知る。卓上カレンダーを取り、日付を確認する。一一月一六日。

息を吐いて、吸ってみる。胸に手をあてる。心臓が動いている。もう一度呼吸をすると、肺のあたりが膨らんでいくのを感じる。

外では雨が降り始めていた。午後からは嵐になると、昨日のニュースで言っていた。一日引きこもっていたくなるような天気だけど、そうも言っていられない。

姉さんの部屋を一度のぞいた。姉さんはいなかった。休日だろうとかまわず、朝から誰かの手伝いや、用事にかけまわっているのだろう。最後に顔を見たかったけれど、会えば出て行きたくなってしまいそうで、結果的によかったのだと思うことにした。

同じ理由で、両親にも顔を見せず、家を出ることにした。姉さんの部屋で本を読む、いつものルーティンも今日はしなかった。

　携帯を持っていこうか直前まで悩んだが、結局、お守りがわりに持っていくことにした。もしも直前で怖気づいたら、あの写真を見ることに決めた。姉さんと富士見、仲町が映った写真。きっと僕を励ましてくれる。

　玄関の門を閉じたところで、短く、犬の鳴き声が聞こえた。覚えのある声。ムタの鳴き声だと、なぜかわかった。天国から聞こえたのだろうか。僕もそこに行けるのだろうか。もし会えたら、たくさん頭を撫でてやりたい。

　傘は差さなかった。ずぶ濡れのまま歩いても気にせずにいられるのは、今日この日に命を終える、僕だけの特権だろう。

　住宅街を進む。何人かとすれ違うたび視線を浴びた。無視して、屋根や地面を打つ雨の音だけを聴きながら、目的地を目指した。

　一五分ほど歩いて、やがていつもの坂が現れる。急勾配で、自転車で登りきれるのはサッカー部の男子だけだという噂だ。登りきった先、その高台に、通い慣れた高校がある。遠くの空に稲妻が見えた。雷鳴は聞こえない。

　休日ということもあって、やはり正門は閉まっていた。脇にある通用門を利用して中に入る。

校舎は文化祭の準備で着々と飾り付けられていた。屋上には、当日に設置する予定の巨大な看板が、ブルーシートをかけて待機させられている。中身を見る日はこない。校舎自体にも用はなく、僕が自分の死に場所に決めたのは、この裏手にある。

まわりこみ、校舎伝いに進むと、やがて林が現れる。二月、受験を終えたばかりの午後、姉さんとともに凍えながらやってきた日が、遠い過去に思える。

林の奥へ進む。地面に乾いた場所はなかった。靴があっという間に泥で汚れた。あのときと同じだ。僕は歩き方が汚い。けどもう、姉さんでいる必要はない。仮面をかぶる時間は終わり。今日は、僕が僕でいる最後の日。

林を抜けると同時、雨が少しだけ弱まった。頬に当たる粒もそれほど気にならなくなる。さらに進み、僕は教会跡地にたどりつく。

外壁の役割を果たしていた石の瓦礫のひとつに、怪物が腰かけていた。髪も、コートも、ブーツも、身にまとっているものは、何一つ濡れていなかった。

「まだ僕と話し足りないのか。それとも死に際を拝みに来たのか」

「どちらでもない。きみのほうから私の住処に来たんだ」

人生を終える直前の、最後の話し相手が死神というのは、少しベタだと思った。結局、こいつは本当に死神なのだろうか。モーンガータのほうから正体を明言したことはない。

出会ったころ、好きに呼べばいいと言っていた。死神でも、悪魔でも、天使でも、神様でも、好きに解釈しろと。いまとなってはどうでもいい。

「ここを死に場所に選べば、きっと悪い噂がたつと思ったからだ。ひとが死んだ場所になんて、誰も近寄りたがらない。教会跡地の神様も引退だ」

「なるほどね、最後まで私への嫌がらせを徹底したわけか。そんなきみに敬意を表して、きみの死に際は誰にも明かさないと約束しよう。ここにいるのは一人の人間と、そうではない存在だけだ。好きにすればいい。虚勢はもう、はらなくていい。泣こうが喚こうが、誰も責めやしない」

「何を言ってる、この……」

それから言葉が続かなかった。うまい返しが思いつかなかった。

脳がまともに働いていないことに、そこでようやく気づいた。

動揺している。鼓動が速くなっている。意識すまいと誓えば誓うほど、その影が色濃く、心を占領する。

死。死。死。それがもうすぐ、僕のもとにやってくる。

足に力が入らなくなって、やがて膝から崩れ落ちた。ばしゃ、と泥水が跳ねる。体が震えだしていた。寒くてたまらなかった。おかしい。こんなはずじゃないのに。考えるな。だめだ。考えるな。

腕をまわし、自分を抱く。やめろ。思考を閉ざせ。寄り添ってくれる誰かはいない。違う。誰もいない。

ここにはいるのは、僕ひとり。

「あ、ああ、あああぁ……」

怖い。

怖い。怖い。怖い。とても怖い。

怖くてたまらない。

叫びたい。喚き散らしたい。

誰かにすがりたい。ひとりじゃないと、知りたい。

震える手で、携帯を取り出す。お守りにしようと決めていた、例の写真を表示する。

姉さん、富士見、仲町。みんないない。ここにはいない。

恐怖はおさまってくれなかった。かちかちかち、と乾いた音が鳴る。自分の口のなかで、歯が叩き合っている音だった。骸骨が近くで笑っていたら、きっと同じような音が鳴るのだろうと思った。

モーンガータの言う通りだ。結局、僕は、自分が一番大事だった。

声が聞こえる。それは自分の声。死ぬんだよ。お前は死ぬんだよ。何も考えられなくなる。家には帰れない。もう二度と自分の部屋には戻れない。大好きな音楽を聴けない。

両親と会話ができない。誰とも顔を合わせられない。姉とも、富士見とも、仲町とも、高野とも、溝口とも、出会ってきた全員とも、二度と話すことができない。

死とは、途切れることだ。あらゆるものが途切れること。

「姉、さん」

気づけば電話をかけていた。ひとりでいることに、耐えられなかった。ようやく理解した。事故が起きて、車と塀に挟まれて亡くなる直前、姉さんはこんな気持ちを抱いていたのだ。頼む。出てくれ。声を聞かせて。お願いだから。

一コール、二コール、三コール、姉さんは出なかった。そして僕は四コール目を聞く前に、受話器から耳を外していた。

着信音が、すぐ近くで聞こえたからだ。

振り返る。誰もいない。それでも着信音は響き続ける。

音のするほうへ、一歩ずつ、近づいていく。そこにあるのは教会のベルだった。逆さまにひっくり返され、地中に先端が埋められているベル。おそなえ物で、その中身があふれそうになっている。

ベルを見下ろし、僕はそこにあった携帯電話を拾い上げた。間違いなく、姉さんの携帯だった。

「どうして……」

とっさにモーンガータを探した。近くの瓦礫に腰かける化け物が、観念するようにため息をついた。わざとらしいため息で、演技だとすぐにわかった。

「見つからないようには努力していたんだよ？　でもきみのお姉さん、妙に勘がするどいからさ。一週間前、冷蔵庫をあさってたら、姿を見られたんだ」

「み、見られた？　姉さんに？」

一週間前。そのころといえば、姉さんが学校に行く決意を固めた時期と、ちょうど重なる。

「わざとじゃないよ、ほんとだよ。すぐに逃げたし。でも田越葉月は私の正体にすぐに行き着いたようだった。つい昨日だ、彼女がここを訪れたのは」

「なんだそれ。どういうことだ」

わざとだとか、そうじゃないとか、いまはどうでもいい。そんなことより、ありえない一言をいま聞いた。

「まさか、お前……」

「彼女と少し遊んだよ。オセロで見事に負かされたから、すべて話した。田越葉月は優秀だね。きみよりも話の呑み込みが早かった。私を出し抜く人間がいるなら、あれくらい頭の回転が速いやつかもしれない。とにかく、理解してすぐ向こうから取引を持ちかけてきたよ。『作楽に寿命を返したい』。シンプルな願いだった」

モーンガータは続ける。体の震えはもうおさまっていた。

恐怖の波は去り、そしてはるかに大きな衝撃がやってくる。

「今日死ぬのはきみじゃない。田越葉月のほうだ」

契約の上書き。モーンガータはそれを行ったのだと、すぐに理解した。僕が交わした『寿命を姉に移す』契約を、姉が交わした『寿命を僕に移す』契約で上書きした。僕が気づかなければ、こいつは姉がまた死んだあとに報告するつもりだったのだろうか。どこまでひとをもてあそべば気が済むのか。

怒りに我を失っている場合ではない。いまは時間がない。死はそこまで迫っている。いったい何秒無駄にした？　何分犠牲にした？　何時間、失った？

「僕と再契約しろ。姉さんの取引を上書きする」

「嫌だね」

「なに？」

「嫌だと言ったんだ。こちらに断る権利がないとでも思ったかい？　そいつはあまりにも、人間側に都合がよすぎるだろう」

モーンガータは表情を変えずに続ける。

「きみたち姉弟のことはよく知っている。このあとの展開も簡単に想像できる。互いを生き返らせろと、イタチごっこになるに決まってる。そんなくだらない姉弟喧嘩に、いちいち付き合ってられないね」

「ふざけるな。僕の魂がほしけりゃくれてやる。だから早くしろよ」

「さっきまであんなに怯えていたくせに。本当にきみは感情がよく変わるね」

モーンガータは契約に応じなかった。ならばもう、直接姉さんを見つけるしかない。けどどこだ。どこにいる。家にはいなかった。電話もつながらない。

とっさに電話をかけた先は、富士見だった。彼女はすぐに出てくれた。

「もしもし。作楽、くん？」

「助けてくれ。姉さんが見つからない。いますぐ探さないといけないんだ。なあ、富士見の家に来てたりはしないか？　昨日会ったとき、どこかに行くとかは言っていなかったか？」

「作楽くん。お、落ちついて」

「時間がないんだ」

「ごめん。でも、教えられない」

は？　と声が出た。電話が切れていた。富士見は明らかに何か知っている。今回のことを、姉さんに聞かされていたのかもしれない。かけなおそうとしたが、彼女は出てくれなかった。

代わりに仲町に電話をかけた。富士見同様、すぐに出てくれた。まるで待機していたような早さだった。

「仲町、助けてほしいことがある」

「作楽の用件なら、想像がついてる」

「え？」

「お姉さんのことなら、ごめんなさい。あたしは助けになれない」

「な、なんで」

電話が切れる。富士見だけじゃない。仲町も知っている。だけど助けてくれない。力に、なってくれない。どうして。どうして。どうして。助けたじゃないか。僕はきみたちの、そばにいたじゃないか。

「落ちつけよ作楽。さっきから叫んで、取り乱して、らしくもない。それともいま見ているその姿が、本来のきみなのかな？」

モーンガータにつかみかかろうとするが、簡単にかわされてしまった。つまずき、派手に転ぶ。体が泥にまみれる。

雨がまた、強まってきていた。空が光り、それから雷鳴が届いた。どどどどん、と振動が地面を伝わり、体に付着し、内臓を震わせてくる。

「お、教えろ。姉さんの居場所を教えろ」

「いいよ。簡単だ。きみの後ろにいる」

あっけなく答えが返ってくる。

何かの冗談かと思った。僕をからかい、楽しむための嘘かと思った。しかしモーンガータは、出会ってから一度も、人間に嘘をついたことはなかった。

「作楽。泥だらけじゃん」

振り向くと、姉さんが立っていた。

本物だった。

傘を差していないせいで濡れてはいるものの、その身なりはとても清潔で、整っている。神秘さすら感じさせる。僕とは正反対。姉の葉月は、いつだって完璧。僕の知らない間に問題を解決してしまう、姉さん。

何より目を引いたのは、その首にかけられているネックレスだった。木彫りの十字架。表面が赤く塗装されている。明らかに姉さんの趣味ではない。契約書だと、すぐにわかった。僕のものと違い、姉さんの十字架は、逆さまにはなっていなかった。

姉さんにも、そしてモーンガータにも、この状況に対して驚いた様子はない。初めからこうなることが、予想されていた態度。

「葉月、きみの言う通り、作楽はここに来た。ということで、予定通り始めてかまわないね？」

「ええ。かまわない」

「姉さん？」呼ぶが、姉さんは僕を無視した。

空が連続して強く光った。数秒遅れて、雷鳴が届く。思わず身構えるが、モーンガータは気にもとめず、懐から何かを取り出す。

それは短剣だった。

柄の部分に凝った装飾が施された、銀の短剣。前にモーンガータが、金平糖の袋を開けて切るのに使っていたのを見たことがある。

モーンガータはその短剣を、僕と姉さんの間に放る。泥が跳ねて、あっという間に剣が汚れる。

「きみたち二人は現在、特殊な利益相反の関係にある。作楽は葉月に寿命を与えたい。葉月はその逆。普段ならオークション形式で寿命のレートをつりあげていくが、田越姉弟の場合は成立しない。片方が寿命を持っているとき、もう片方は常に搾りカスしかない状態だ。このままでは上書きをし合う不毛な時間が続くことになる」

いま、僕の契約は姉さんの契約によって上書きされている。あの赤い十字架の契約書が、僕の死を阻んでいる。

「だからここで決めろ。その短剣は、あらゆる契約書を破壊できる私専用の道具。つまり、使えば所有者以外の他人でも契約書を破棄できる。どちらが生きるか、それで答えを決めろ」

　短剣に視線がひきつけられる。

　つまり、姉さんでも僕の契約書を破壊できる。僕も姉さんの契約書を破壊できる。そんなでたらめな道具を、このタイミングで出してくる。予測がつかなくて、不条理で理不尽。忘れていた。これがモーンガータの真骨頂だ。

「その短剣を人間に貸し出したのは五六年ぶりだ。こうなればもう、誰にも予想はつかない。これが最後。さあ、姉弟喧嘩の決着をつけるといい。といっても、戦争はすぐに終わりそうだけど」

　モーンガータの言葉に、はっとなる。

　姉さんが、短剣に向かって駆け出していた。

　遅れて地面を蹴る。ぬかるんだ泥で足を取られる。それでも進む。短剣はわずかに僕の位置に近かった。姉さんがつかむよりも前に、手を伸ばす。

　つかんだその瞬間、視界が真っ白に飛んだ。見ていたはずの泥の地面、短剣が消えた。蹴られたのだとわかった。受け身を取れず、そのまま転ぶ。

　握ったはずの短剣の感覚が消えていた。吹っ飛ばされたときに落としたらしい。すぐに起き上がる。ふと、首元を見て血の気が引いた。チェーンが切れていた。契約書の逆さ十字架がなくなっている。どこだ。どこだ。どこに落とした。壊されればおしまいだ。相手の契約書を破壊するのと同じくらいの集中力で、僕たちは自分の契約書を守らないといけない。

視線を向けた先、姉さんが地面に落ちた僕の逆さ十字架に向かって、短剣をつきたてようとしていた。

刃が振り下ろされると同時に、僕は飛び込む。逆さ十字架に刃先が触れる、ほんの数センチ手前で短剣をつかんだ。するどい痛み。その手に血がにじむ。

「作楽っ」姉さんが悲鳴をあげる。

「悪い、姉さん」

空いたもう片方の手で姉さんを殴る。うめき声とともに倒れ、姉さんが短剣を手放す。自分の逆さ十字架と短剣、どちらを拾おうか迷い、短剣を選んだ。

倒れた姉さんにそのまま馬乗りになり、首にかかった契約書をつかむ。この赤い十字架を破壊するのが先だ。それでぜんぶ終わりにする。

赤い十字架めがけて、短剣を振り下ろそうとした瞬間、姉さんが拳を振りぬいたのが見えた。よけきれず、また顎にもろに食らってしまう。意識が飛びそうになる。体勢を立て直そうとするうち、蹴り飛ばされる。手から短剣が落ちる。

ぐらつく視界のなかで、姉さんが這《は》って、落ちている十字架に向かっているのが見えた。逆さ十字架。僕の契約書。手には短剣を握っている。

「あああああっ！」

　気力で立ち上がり、そのままタックルを見舞わせる。転がりまわって、今度は姉さんに馬乗りにされた。拳が飛んでくる。何発も、何発も、何発も。普段とは想像がつかないほど暴力的で、容赦がなかった。姉さんの手だけが別の生き物に見えた。

　守りたいのに。

　守りたいからこそ、傷つける。

　祈れば祈るほど、遠ざかる気がした。

　どうしてこんなに、うまくいかない。

「わからずや！」姉さんが叫んだ。

「姉さんこそ、僕の邪魔をするな！」

「こうするのが一番いいの！」

「姉さんが生きるべきなんだ！」

「違う。なにもわかってない！」

　殴る。殴られる。痛い。痛い。

「いつもいつも勝手なんだよ！　自分一人で片付けようとするなよ！」

「どっちがよ！」

蹴られる。蹴り返す。痛い。痛い。痛い。

「誰が見たって明らかだろ！　どっちが生きるべきかなんて決まってる！」

ひとの命の重さは、そのひとが持つ価値の量で決まる。そのひとが持つ経験の数で決まる。そのひとが持つ他者との関わりの多さで決まる。その人が持つ情報の多さで決まる。僕が姉さんよりも勝っていることなんて、ひとつもない。

そして何よりも。

「僕は何もできなかった！　あの事故のとき、何も！」

あのとき、事故で動けなかった自分に、報いるチャンスなんだ。これが唯一の機会なんだ。大切な誰かが、目の前でなくなるのは、もう嫌なんだ。

「後悔を、わたしに、押しつけるな！」

短剣を奪い、僕は姉さんのネックレスを引き裂こうとする。だが直前で、姉さんは躊躇なく刃を握り、強引に奪ってきた。僕がさっきやったことだった。姉さんの手のひらがぱっくりと割けて血が噴きだすと、自分の身が裂かれるみたいに痛かった。姉さんの痛みに心が囚《とら》われているうち、また殴られて、倒れる。

目をつぶりながら、僕も必死に反撃する。がむしゃらに、ただひたすらに。拳も蹴りも、姉さんの体のどこにあたっているかわからない。何かの一撃が、この人を止めてくれたらいいと願うだけだった。

一度距離を取った瞬間、ばき、と乾いた音が近くで鳴った。強風に耐えきれなくなった木が倒れてこようとしていた。木は意思を持っているように、姉さんめがけて倒れてきた。

「姉さん！」

叫び、駆けて、押し倒す。姉さんの体におおいかぶさる。身構えるために目を閉じた。衝撃はやってこない。見ると、木は真横に倒れ、直撃を避けていた。

体の下にいる姉さんと目が合う。睨んでいた。

蹴り飛ばされる。起き上がろうとしたところで、さらにタックルを受ける。僕の背後は斜面だった。そのまま二人で、真下のグラウンドまで転がっていった。視界が回る。体のあちこちが、打ち付けられる。

「もう、頼むから！」

馬乗りにされて、振り下ろしてきた姉さんの拳をつかむ。その手が震える。姉さんの震えが伝わっているのか、僕自身の震えか、わからなかった。

「頼むから、助けさせてくれよ……」

やっとわかった。いまになって理解した。

モーンガータは間違っていた。

やっぱり僕は、ちゃんと他人が好きだった。

家族である姉さんが好きだった。心の底から、姉さんが無事であってほしかった。僕は姉さんに生きてほしかった。

もう死にひるんだりしません。

怯えて、震えたり、泣いたりしません。

だからどうか、助けさせてください。

「作楽……」

頰に水滴が落ちてくる。姉さんの涙か、叩きつけてくる雨粒か、わからない。僕たちは、二人とも泣いているように見えた。

姉さんの首にかかるネックレスのチェーンをつかむ。引きちぎろうとしたところで、その腕にかみつかれた。悲鳴をあげて抵抗し、二人でまた転がりまわる。汗で汚れ、土で汚れ、草で汚れ、雨で汚れ、僕らはぼろぼろだった。相手の体をひっぱり、髪をつかみ、傷だらけだった。それでもお互い、あきらめなかった。

そして、二人で同時に立ちあがった次の瞬間。

空が光り、けたたましい破裂音とともに、これまでで一番大きな雷が落ちた。

どどどどどどどん、と地響きがいつまでも止まない。耳鳴りがして、僕も姉さんも体が固まってしまっていた。反射的に身構え、筋肉が硬直し、思うように動かない。身を守れ、と本能が叫び続ける。見ると教会跡地を囲う木々の一つが、煙を立てていた。

あそこに直撃したのだ。

「死が近づいているよ、作楽」

モーンガータのささやきが聞こえた。あの雷が死のサインだった。あれが体に直撃する。皮膚を貫通し、血管を電気がめぐり、体を焼き、焦がす。契約はまだ姉さんのものが有効だ。つまり雷は姉さんに近づいている。

姉さんと再び目が合う。それから辺りを見回す。近くに逆さ十字架が落ちていた。姉さんは逆方向に落ちている短剣を見つめていた。僕は自分の逆さ十字架に飛びつき、姉さんは短剣を拾いに走る。

突風が駆け抜けていく。一秒後、視界の端から何かが飛んでくるのがわかった。巨大な物体。屋上に設置する文化祭用の看板だった。

ぶおん、と空気を押しのける強引な音とともに、看板が僕と姉の間を通り過ぎていく。看板はフェンスにぶちあたり、ばらばらに破壊される。風が破片を運び、跡形もなく消しとばす。看板がぶつかった衝撃でフェンスのほうもねじ曲がり、不自然な形になっていた。

嵐がさらにひどくなる。ゲリラ豪雨。

姉さんを失ったあの日も、隣町がこんな天気だった。雷で起きた停電のせいで、事故が起きたのだ。これは巡り合わせなのか。

地面を打つ絶え間ない雨の音。暴風が木々を揺らす。空では重い音が鳴っている。いつまた、雷が落ちてきてもおかしくない。そんななかでもお互いに目を離さない。完全なこう着状態だった。

「作楽くん」

そのとき、声がして振り返る。

富士見と仲町がそこにいた。

対決が始まる前、二人に連絡を入れていたのを思い出す。来てくれたらしい。二人とも持っている傘の骨が折れていて、びしょぬれの状態だった。服のあちこちに泥も飛んでいる。

二人が近づいてくる。戦況が一気に傾いた。三人でなら姉さんをきっと止められる。数の利は僕にある。

「仲町、富士見、助けてくれ！　姉さんを止めたいんだ。あの短剣と姉さんのネックレスを奪えれば……」

「伊織ちゃん、渚ちゃん」

僕の説明を遮るように、姉さんが二人を呼ぶ。

「約束したでしょ？」

その言葉で、僕に近づこうとしていた二人の足が、同時にとまる。仲町たちは目を合わせ、一歩、また一歩と引いていく。信じられない光景だった。まるでモーンガータの魔法みたいに、仲町と富士見は姉さんの言葉に従う。さっきもそうだ。電話のとき、何かに縛られている様子で、二人は協力を拒んできた。

姉さんと富士見、仲町が三人で映った写真を思い出す。三人は会って、何かを話していたということだ。どんな内容だったかはわからない。けれど、姉さんはこの場面を予期していて、二人に釘《くぎ》をさしていたのだろう。

姉さんは富士見たちを見ていた。そこには確かな隙が生まれていた。

考えるより早く、駆け出す。そのまま体をぶつける。バランスを崩した姉さんが転倒する。伸ばした腕が姉さんのチェーンをつかみ、そのまま、ひきちぎる。

「作楽！」

近くに転がった短剣にとびつく。足首をつかまれるが、振りほどく。姉さんの契約書である赤い十字架を、地面に叩きつける。

そして。

握った短剣を、振り下ろす。

剣先が十字架に触れたとたん、強い光に目がつぶれた。また雷が落ちたのかと思ったが、そうではなかった。

視界が鮮明に戻る。

見ると、姉さんの十字架が消えていた。ヒビが広がり、やがて形を崩し、塵となって風に運ばれていく。

「やった……っ」

壊した。とうとう壊した。姉さんの契約書を破棄した。

これで死は僕のもとへ向かう。勝敗は決した。

背後で小さく悲鳴が上がる。「作楽くん」と、富士見の泣きそうな声。「そんな……」と、言葉にならない仲町のつぶやきも聞こえた。僕は二人の顔を見ない。

これでいい。これでいいんだ。これが結末だ。

あとは静かに、雷を待つ。僕のもとに向かう死を受け入れる。代わりに残ったものを、守れたものを思いながら、この意識を閉ざしていこう。

そうやって、脱力しかけたそのときだった。

振り返った先の光景を見て、絶句した。

「なんで……」

通り過ぎて行った、巨大な文化祭の看板が残した、破壊の痕跡。

ねじ曲がったフェンスの先端に、姉さんが立っていた。

姉さんは持っていた短剣を、フェンスの先にある崖下に放る。何秒も遅れたあとで、短剣が地面にぶつかり、跳ねる金属音が聞こえてきた。

助かる高さではない。少しでも何かの力が加われば、落下してしまうのは必至だった。

姉さんは死の淵の境界線に、半歩以上も足をかけてしまっている。

「やめろ。いますぐおりてくれ」

「作楽、契約書を放棄して。その十字架を自分の手で捨てて」

「何度も言ってるだろ。絶対に、ゆずらない」

「伊織ちゃんも、渚ちゃんも、ちゃんと自分で捨てたんでしょう？　なら次は、あなたの番。みんなを助けてきた作楽の番」

「いやだ！」

「それならわたしはここから飛び降りる。無意味になるよ。ここにある命、ぜんぶ無駄になる。それでいいの？」

「できるもんか、そんなこと」

「本当に？　本当にそう思う？　わたしができないと？」

姉さんなら。姉さんなら、どうする。

ああ、だめだ。わからない。少しも頭がまとまらない。体のあちこちが痛い。殴られすぎた。もう一センチだって動けない。

空が光る。さっきよりもより近く、雷が落ちる。地面に深く振動が伝わる。グラウンドに散らばった木の枝に火がつくが、雨がすぐにかき消す。

「作楽。決断のときだよ」

「いやだ、いやだ、いやだ……っ」

間を置かず、雷がまた落ちる。轟音《ごうおん》と震動。まっすぐ僕を殺そうと向かってくる。僕の寿命の終わりが近づいている。耳鳴りが激しくなっていた。全身の毛が逆立つのを感じていた。このまま死ねば、姉さんを生きさせることができる。

だけど雷が僕を襲うよりも前に、姉さんが飛び降りてしまったら。

すべてが無駄になる。これまでの努力が。犠牲にしてきたものが。

壊したんだ。姉さんの契約書を壊して、僕が勝ったんだ。守ったんだ。すべて終わったんだ。なのに、どうして、そうならない。

「姉さんが言ったんだ！　あの事故のとき！　死にたくないって、はっきり言ったんだよ！　だから死んじゃだめなんだよ！」

「飛び降りるよ」

「生きててほしいんだ！」

「それは作楽の役目」

雷が落ちる。空が光るよりも早く、衝撃がやってくる。巨大な石が着弾したみたいに、地面がめくれあがる。

あと一回。あと一回落ちれば、僕のもとにきっと届く。それでおしまいだ。姉さんを救える。ほんの数秒。それでおしまいの、はずなのに。それなのに。

「姉さん……」

そして。

「じゃあね」

言葉は途切れ。

姉さんが、柵からその足を——

「うあああああああああああああああああああっ！」

限界だった。

ここがすべての境界線だった。

持っていた十字架を、僕は思いっきり放り投げる。

手から離れていったそれが、宙を舞う。

そして光が視界を覆い、轟音が耳をふさぎ、衝撃で体が倒れる。

かすかに浮いて、脳が揺れる。

僕が最後に見たのは、十字架に直撃する落雷だった。

黒く淀《よど》んだ雲が、少しずつ薄くなっていく。自分があおむけになっていることに気づき、急いで身を起こす。

すぐ近くで何かが燃えていた。焦げたその中心に、残骸となった僕の逆さ十字架があった。そっと拾いあげる。熱を帯びていた。さらに触れると、形を失い、炭となって消えていった。

雨が止みはじめていた。僕に向かっていた死が、去っていくのを感じた。自分の選んだ結果が、体中にしみこんでくるのがわかった。涙がこみあげる。あふれて、もう止まらなかった。

地面を叩く。泥が跳ねて顔にかかる。何度も叩いた。ひたすらに、言葉にならない声が出続けた。

だめだった。だめだった。だめだった。

また救えなかった。今回も救えなかった。僕はだめだった。

振り下ろそうとした腕が、誰かの手に止められた。顔を上げなくても誰かわかった。

僕が救えなかった相手。これから消えてなくなり、二度と会えなくなる家族。

「いいんだよ作楽」

「ごめん、本当にごめん……」

「大丈夫。これでいいの」

「ごめん。ごめん。ごめんなさい……」

「わたしも。いっぱい殴っちゃってごめんね。痛かったよね」

おだやかな声と一緒に、抱きかかえられる。その体に腕をまわす。

が崩れ、塵となり、消えていくのが見えた。

僕を抱えていた腕の感触が消える。あわてて顔を上げる。その半分が、すでになくな

ろうとしていた。

「姉さんが、生きるべきなのに。姉さんの命は、僕よりずっと重くて……」

「違うよ作楽」

僕の頬に、消えかけた手を添えて、姉さんは言う。

「本当の自分の重さは、自分が決めていいんだよ。作楽はわたしの自慢の弟だった。作

楽を守れて、よかった」

後悔がとまらない。

でもそれ以上に、姉さんの言葉に、最後まで、どうしようもなく救われてしまう自分

がいて。

一言ひとことを忘れまいと誓う自分がいて。

「今日まで、生きさせてくれてありがとう。一緒にいてくれて、ありがとう。毎日が楽

しかった。たくさん話せてうれしかった」

姿が消えていくたび、声も遠ざかる。

行かないで。

まだここにいて。

ずっと一緒にいて。

あふれそうになって、必死におさえこむ。

「大好きだよ。作楽のことが、ずっと大好き」

消えていく。もう何秒ももたない。姉さんは去る。いなくなる。そして僕の言葉を、待っている。

姉さんを亡くしたあの日、僕は何も声をかけてあげられなかった。何も残してあげられなかった。ひとりにしてしまった。孤独にしてしまった。不安にしてしまった。安心させられなかった。助けられなかった。それを償えるのは、いましかなかった。

だからもう、泣くのはやめよう。

目をそむけるのは、おしまいにしよう。

まっすぐ姉さんを見る。

そして。

「僕も、大好きだ。いつだって姉さんが誇りだった」

伝えて。

言葉を受け取った姉さんは、ゆっくりと泣きはじめた。それから最後に笑ってくれた。事故のときとはもう違っていた。この瞬間のためにいままであったのだと、そうなぐさめてくれるような笑顔だった。

雨が止むと同時に、姉さんはとうとう消えた。

立ち上がれずにいると、誰かが抱きしめてきた。富士見と仲町だった。二人は僕と一緒にその場で膝を汚してくれた。

晴れ間が見えて、陽が差しても、一緒にいてくれた。

†

家の近くで富士見たちと別れる。二人はなかなか僕から離れようとしなかった。どうやら、相当ひどい顔色をしているらしい。正直、声を出すことすら気力を必要としたけど、二人を安心させたかった。

「送ってくれてありがとう。また連絡する」

「葉月さんのこと、ごめん」

仲町に謝らせてしまった。それに富士見も続く。

「昨日、葉月さんと話をしたんです。そのときに、しようとしていることを聞かされました。約束してたんです。私と仲町さんは、手を出さないって」

きっと姉さんなりの配慮だったのだろう。二人が僕たちの問題に深く関わることで、余計な罪悪感を抱いてしまわないように。結果的には二人を落ち込ませてしまっている。姉さんは僕に小さな仕事を残していったということだ。

「二人のせいじゃないよ。決まっていた運命に、戻しただけだ。僕は姉さんの意志を尊重したい。時間はかかるかもしれないけど、受け入れられるよう、頑張ってみる」

いま、僕が本心で言える精いっぱいの言葉がそれだった。これから僕は、自分の後悔を受け入れる。自分の罪を受け入れる。ちゃんと苦しんで、ちゃんと痛がる。まず僕がしなくてはいけないのは、両親と話すことだろう。

学校で待ってる、と二人は言って、分かれ道を去って行った。姿が完全に見えなくなったのを確認したあと、僕は自宅を目指した。足がとても重くて、たった数十メートルが、何キロにも先に思えた。

水たまりをいくつも踏み越えて、ようやく自宅にたどりついた。

門を開けて、玄関へ進む。

深呼吸を一度はさみ、ドアノブに手をかけようとした、そのときだった。

短く、犬の鳴き声が聞こえた。空耳かと思いかけたところで、また鳴き声が続いた。

今度はさっきよりも大きく、はっきりと耳に届いた。

鳴き声は裏手の庭から聞こえていた。そういえば、と思い出す。家を出る直前も、僕はこの鳴き声を聞いていた。あれは幻聴ではなかったのか。

ゆっくりと、壁に沿って進み庭にまわりこむ。こちらの気配と匂いをかぎつけたのだろうか、また犬が鳴いた。

ようやくその姿を目にしたとたん、僕は言葉を失った。

そこにいたのは、白と茶色の毛並みの雑種犬だった。

「……『ムタ』？」

昨日まで、そこには何もなかったはずだった。それなのに、いまは何年も前から、ずっとそこに留まっているみたいに、自然に置かれた犬小屋があった。

僕を見てムタがしっぽを振った。口角をぐいと上げて、また一声、高く鳴いた。

歩み寄り、しゃがみこんで、その頭を撫でる。確かにそこにいる。やわらかい毛の感触。その奥にある、しっかりとした頭の骨の硬さ。撫でた手を舐める舌の温かさ。本物だった。

そしてムタの首輪を見て、すべてを理解した。首輪は水色ではなく、黄色になっていた。昔飼っていたときの色と、そこだけが変わっている。

首輪の表面には英語で文字が彫られていた。そこにあったのは、何度も耳にしてきた、あの言葉だった。

Finally, it's designed to happy.
(最後には、うまくいくようにできている)

この奇跡を実現したのは、姉さんだ。

記憶がよぎる。

会話の断片が、広がり、あふれていく。

『きみの願いを叶えよう。私にはその力がある』

『ただし対価として、きみからあるものをいただく。寿命だ』

『契約書が破棄されれば、叶えた事実も消える』

『きみの死後も、契約がなかったことにはならない。契約書が破棄されない限り、契約によって実現された結果は持続する』

『私を出し抜く人間がいるなら、あれくらい頭の回転が速いやつかもしれない』

僕と姉さんが教会跡地で、互いの契約書を消し合うことになる出来事の前。あのひとはもうひとつ、モーンガータと契約を交わしていたのだ。その契約で、ムタを生き返らせた。

それは本来、叶えられるはずのなかった願い。

持っているはずのなかった寿命で交わした、契約。

思い返せば、姉さんの行動には不自然な部分があった。教会跡地で争うことになったとき、姉さんは積極的に短剣を手に取り、僕の契約書を破壊しにきた。だけど自分に死を向かわせたいなら、姉さんはまっすぐ走り出し、僕から逃げればよかったはずだ。あの時点で僕の契約は上書きされており、死は姉さんに向かっていたのだから。

そうしなかったのは、僕の契約書が破壊される必要があったから。『田越葉月が生き返った』という事実を、抹消する必要があったから。僕の契約書が破棄されれば、姉さんはいなくなり、渡した僕の寿命が、丸ごと戻ってくる。しかし、寿命が僕に戻る前に、姉さんが交わした契約だけは残り続ける。だからムタがここにいる。

契約書が破棄されれば、叶えた事実は抹消される。そして一度契約が交わされれば、契約書が破棄されない限り、実現された結果は持続する。姉さんは、この二つの規則を利用し、モーンガータを出し抜いた。

姉さんが交わしていた『寿命を田越作楽に返す』契約は、あくまでも僕の契約を打ち消すためのお守り《保険》だったのだろう。どんな未来をたどっても、最後には僕の契約書を破壊するつもりだったのだ。

あるいは、モーンガータの意識をそらすための餌だったのかもしれない。負けず嫌いのあいつが姉さんの意図に気づけば、契約に応じてはいないだろう。

いつからこの計画を思いついていたのか。モーンガータと対面し、事情を明かされたとき？　僕と争い、決着をつけるよう提案を受けたとき？　人生最後の嘘。運命に一杯、食わせてしまった。

　真面目で正義感の強いあのひとがついた、人生最後の嘘。運命に一杯、食わせてしまった。

　黄色の首輪に触れる。ここだけが過去のムタと違っている。姉さんが好きだった水色から、僕が望んでいた黄色に変わっている。きっとこれが、姉さんの遺《のこ》した契約書だ。なんという贈り物だろう。やっぱり姉さんには、敵わない。

　そのとき、窓のカーテンが開き、居間から母さんが顔を見せてきた。ずぶ濡れのままムタを撫でている僕を見て、面食らっていた。やがて窓を開けて、言ってくる。

「ちょっと。いったいどうしたの？　なんでそんなことしてるの？」

「母さん。ムタはいつからここに？」

「はあ？　ずっと前からいるでしょう。何歳生きているかってことなら、正確な年齢はわからないけど……」

　母さんの背後にある壁際に、仏壇が置かれているのが見えた。姉さんの写真がそなえられていた。

　これが本来の現実。そして、少し変わった未来。

「ほら、早く家に入りなさい。シャワー浴びて、着替えちゃって」

「母さん。話があるんだ。姉さんのことで」

「……作楽」

「姉さんは僕を助けてくれた。最後まで立派だった」

体は震えていたけど、近くにはムタがいてくれた。やがて父さんが異変に気づき、様子を見にくる。二人が僕を見る。

「僕は姉さんが大好きだった。だけど救えなかった。ごめんなさい。本当に、ごめんなさい」

母さんが裸足《はだし》のまま、庭に下りてきた。そのまま僕を抱きしめてくれた。父さんも肩をやさしく叩いてくれた。そうやって、三人で泣いた。

ムタがまた、僕の手を舐めた。

エピローグ

あれから三日間、僕は熱で寝込んだ。その間に世界は変わった。過ごしてきた四か月のなかで、姉さんがこの世界で生きていたことを覚えているのは、ほんの数人だけになった。

冷蔵庫をあけると、姉さんと食べきったはずの金平糖が残っていた。姉さんが食べた分だけ、元に戻っていた。

僕以外にも姉さんを覚えているあの二人から、連絡があった。メッセージは、ゆっくり休むように、と励ます内容だった。ついでに近況報告も書かれていた。教会跡地は燃えてなくなったらしい。あの日の落雷が原因で火事が起こり、林ごと周囲を焼き尽くしたそうだ。いまは黒く焦げた地面が広がっているだけだという。

四日目になって熱が下がった。だけどベッドから出る気にはなれなかった。意識に、薄いモヤのようなものがかかっている心地だった。

進まなくちゃいけないとわかっている。だけど、歩き方がわからない。足も重い。自慢の弟だという、姉さんの言葉に報いなくてはいけない。理解しているのに、僕には道しるべがなかった。

家に閉じこもり、それからさらに数日が経った。富士見と仲町からメッセージがまた届いた。二人とも同じ内容で、明日の文化祭にはこられるか、という質問だった。

僕は『行く』と返事を打った。

一週間ぶりの学校は、見事に様変わりしていた。僕が最後に登校したころは、まだ準備し始めたばかりだったのに、いまでは細部にまで文化祭の装飾がほどこされていた。何年か前にテレビに取り上げられて以来、うちの高校では力を入れるようになったみたいだった。

各クラスによる出店の宣伝ポスターでうめつくされた廊下を進んでいると、立ち止まって話している生徒たちの会話が聞こえた。

「ねえ、変なこと言っていい？」

「なんだよ」

「わたしさ、葉月さんに、文化祭の手伝いをしてもらってた気がするんだよね」

「ありえないだろ。だって葉月さんは七月に」

「わかってるよ。わかってる。気のせいだよね」

「なあ、実はおれもさ……」

意味はないのに、息を止め、顔を見られないようにうつむいて、そのまま通り過ぎる。

まっすぐ自分の教室を目指す。

教室は空っぽになっていた。机もイスも、どこかの出店の準備のためか、借り出されてしまっていた。手持無沙汰になっていると、おおい、とこちらを呼ぶ声がした。

振り返って。

彼女を見たとき、あ、と声が漏れた。姉さんをやめた僕は、戸惑いを隠すことができなかった。

「おはよう、作楽」

「……仲町」

「今日から文化祭だよ。ねえ、一緒にまわろうよ」

「仲町。それって」

「ああ、これ？　そうそう、ひとりじゃ大変だからさ、校内まわるの手伝ってよ」

とっくに受け入れたみたいな、軽い調子の声で、彼女は答える。

車イスに座る仲町は、慣れた手つきでハンドルを動かし、僕の横を抜けて廊下を進む。疲れたから押して、と頼まれたので、僕は後ろのグリップを握って、彼女を補助した。

僕が無言でいると、仲町は説明をはじめた。

「モーンガータと会って、最後の契約を破棄してきたの。契約書だった、あのスニーカーを燃やした」

「どうして……」

「葉月さんと約束したから。作楽を支えるようにって。まあ、いまこうして補助してもらっておいてなんだけどね」

仲町は笑いながら続ける。

「作楽と対等でいるためには、あたしもこうするべきだと思ったから。きみがしっかり向き合ったのに、あたしだけ歩き続けるのは、違うと思った」

本当に正しかったのだろうか。僕は生きていていいのだろうか。仲町が振り返り、顔をのぞいてくる。

「この脚ね、今度、手術をしてもらえそうなんだ。お母さんが働き詰めだった理由がやっとわかったの。あたしの手術費を貯《た》めるためだった。あたしが死神に祈って足を治したあとも、お母さんは働き続けてくれていた。この脚を手放さなかったら、向き合わなかったら、この未来は訪れなかった」

仲町は笑う。こんな僕でも、見捨てずにいてくれている。

「どんな理由でも、受け入れることができるのは、作楽のおかげだよ。手放すことができたのはきみのおかげ。だからさ、あたしにも、きみを助けさせてよ」

返事がすぐにできなかった。

声を出せば、そのまま泣いてしまいそうだったから。

「ねえ作楽、体育館行こうよ。もうすぐ劇が始まるんだってさ」

「うん」

「ねえ、泣いてる?」

「泣いてない」

「そっか」

廊下を通るたび、名前も知らない生徒から視線を向けられる。気遣うような、見ないふりをするような、そういう視線。僕も仲町も気にしなかった。不思議なことに、まったく気にならなかった。

足がしだいに軽くなっていく。


体育館では、舞台が見やすいようにパイプ椅子が均等に配置されていて、いくつか空いているところもあったが、僕と仲町は壁際の隅から舞台を眺めることにした。

「あ、作楽。モーンガータがよろしくってさ」

「あいつが?」

「しばらくこの街を留守にするみたい。教会跡地も燃えちゃったし」

「それはせいせいするね」

「『金平糖を用意して待っていてくれ』ってさ」

「二度と顔を見ることがないのを祈ってる」

「それからこうも言ってた。『きみたち姉弟が大嫌いだ』って」

あいつにしては、素直な捨て台詞だ。ムタはいまも元気に生きている。

数日前、何気なくモーンガータという単語をネットで検索した。スウェーデンの言葉で「水面に映った、道のように見える月明かり」という意味があるらしい。

水面に映る月明かり。延びていく道。

手に入らない欲望を示しているような言葉だと思った。そこにあるのに、歩けない。進めない。それらはまやかしで、水面に延びた道を進み続ければ、溺れてしまう。届かない願い。叶うべきではない祈り。

「あたしの予想だけど、モーンガータは作楽を生かそうとしてたんじゃないかな」

「なんだそれ」

「だって、葉月さんに正体がバレたって話だけど、それがわざとかどうか、わからないじゃん。あたしはわざとだったんじゃないのかなって」

「モーンガータはああなることを見越していたと？」

「きみと話すのが楽しくて、別れるのが惜しいと思ったとか」

「ありえないよ。そんな性格じゃない」

モーンガータとの会話、と聞いて、さらに思い出す。

あいつは一〇代や二〇代の人間を相手に契約を持ちかける、と話していた。特に高校生はぴったりだと。その理由を聞いても答えてくれなかった。けど、いまならわかりそうだった。

高校生というのは、中間の時期だ。

子どもでもなく大人でもない。自分で決めることが増え、責任を負うようになる年齢。そしてまだ、自分の進むべき道が不確かな時代。

世の中の不条理に、一番苦しむ立場。やりたいことができない未熟さの悩みと、自由ゆえの選択に不安を抱え、後悔するかもしれない自立の悩み、その両方を体験する時期。

僕たちはそれぞれの境界線に、片方ずつ足を乗せている。

様々なものを求める時期だから、モーンガータにとっては恰好《かっこう》の相手なのだ。

家族を亡くし、嘆き、取り戻したいと祈る人がいる。

他人との関わりに悩み、押しつぶされそうになって、逃げたいと祈る人がいる。

大事な体を奪われ、生きがいをなくして、元通りにしたいと祈る人がいる。

「あ、ほら、始まる」

体育館内にブザーが響く。照明が消えて、舞台にスポットライトが当たる。注目していると、幕が上がり始める。

「きっと驚くよ」

「それって」

どういうこと、と、言葉の意味を探ろうとした。しかし次の瞬間には、舞台に目を奪われてしまっていた。仲町の言う通り、驚く光景がそこにあった。

舞台に立つ彼女は、水色と白と黄色、それから桃色の、鮮やかな色合いで飾られたドレスを着て、お姫様を演じていた。

準備をしていたときの、会話がよぎる。

『はい。グリム童話の一つで、一応「マレーン姫」というのを。服飾をやってみたいっていう女子が多くて』

『富士見は何か役をやるの？』

『私が舞台に立つと思いますか？』

そんな風に自分を嘲笑していた富士見は、もういなかった。堂々と舞台に立っている。きっと緊張もしているだろう。汗もたくさんかいているかもしれない。だけどみんなの前で姿を見せている彼女の表情に、曇りはなかった。

富士見ははっきりとした声量で、セリフを紡いでいく。

「配役が決まったの、つい二日前らしいよ。役の子が急に休みになっちゃって。伊織は断ることもできたけど、引き受けたんだって」

マレーン姫を演じる富士見は、大勢の人の視線を受けても、役になりきり、演じ続けていた。きれい、とどこかでつぶやく声が聞こえた。

富士見が舞台を歩く。言葉は響き、しっかりと届く。ずっと抱えていた意識のモヤが、晴れていくのがわかった。僕には仲町がいてくれる。富士見がいてくれる。自慢の弟だと言ってくれた、姉さんの言葉がある。

やがて舞台がクライマックスに近づく。富士見の声も大きくなる。彼女の台詞が響きわたる。

「『わたしはマレーン姫。あなたのために七年間、牢屋《ろうや》に閉じ込められておりました』」

この先、いくつもの不条理が襲うだろう。何もできずに歯噛《はが》みして、後悔に呻《うめ》き、これ以上はないというくらい、自分は不幸だと叫びたくなることがあるだろう。

「『お腹がすき、のどが渇いて、苦しみました。長い間、貧しい暮らしをしておりました』」

そんなとき誰かが、苦しみから解放するとささやいてくる。望むものをすべて与えると言ってくる。だけどすぐに気づく。それらはまやかしで、湖面に延びる月明かりの道だと。

くじけて、騙されて、傷だらけになって。それでもまた這い上がる。誰かに支えられて。その手を取り、共に夜を越えて。

「『でも今日、太陽がまた、わたしの上で輝きました』」

劇の終わりにお姫様がお辞儀をし、拍手に包まれる。富士見がこちらに気づき、顔を赤らめながら小さく手を振ってきた。僕は笑って振り返す。仲町も笑っていた。

そして幕が下りる。

あとがき

川崎七音《かわさきなお》と申します。

モーンガータという言葉と出会ったのは、『翻訳できない世界のことば』（創元社刊行、エラ・フランシス・サンダース著、前田まゆみ訳）という本を読んだときでした。スウェーデンの言葉で、その文字の響きに惚《ほ》れました。人間にひとめ惚《ぼ》れをしたことはありませんが、単語にひとめ惚れしたのは初めてでした。MÅNGATA。水面に映った道のように見える月明かり。きれいで、さびしくて、触れられなくて、少し怖い。そんな印象をもとにあのキャラクターをつくりました。

『翻訳できない世界のことば』のなかには日本の単語もいくつか紹介されていて、個人的に一番のお気に入りは「侘《わ》び寂《さ》び」でした。歪《いびつ》なもの、どこか不十分で、不完全なものに美を見出《みいだ》す感性を指す言葉で、人生訓にしたいくらい好きな単語です。整ったものより、どこか（何か）欠けているもののほうが、覚えていられることが多い気がします。きれいじゃないけど、誰かの目を引けるような、小説を書いていきたいです。

たくさんの皆様にお世話になりました。改稿からタイトル決めまで、辛抱強く並走してくださいました担当編集の遠藤《えんどう》様。ちなみにタイトルは締め切りの一〇分前に決まりました。怒られることを承知で書きますが、最高に楽しかったです。ご迷惑をおかけしました。引き続き、よろしくお願いします。

表紙イラストを飾ってくださいました、ＶＯＦＡＮ様。崩れかけた、歪な教会のなかに佇《たたず》む作楽《さくら》と葉月《はづき》の構図に惚れました。

それから、推薦文をいただきました、松村《まつむら》涼哉《りょうや》様。常に最適解の修正提案をくださいました、校正様。その他、多くの方に感謝申し上げます。

最後に、限られた時間の一部を、本書に充ててくださった読者の皆様。本当にありがとうございました。少しでも対価として見合うと感じてくだされば、これほどの喜びはありません。

そしてできれば、次もお会いできたら、嬉《うれ》しいです。

では。

二〇二一年　四月　川崎七音

<初出>

本書は第27回電撃小説大賞で《選考委員奨励賞》を受賞した

『モーンガータのささやき　～イチゴと逆さ十字架～』に加筆・修正したものです。

この物語はフィクションです。実在の人物・団体等とは一切関係ありません。

メディアワークス文庫

ぼくらが死神《しにがみ》に祈《いの》る日《ひ》

川崎七音《かわさきななお》

2021年5月25日　初版発行
2024年6月15日　再版発行

発行者　山下直久
発行　株式会社KADOKAWA
〒102-8177　東京都千代田区富士見2-13-3
0570-002-301（ナビダイヤル）
装丁者　渡辺宏一（有限会社ニイナナニイゴオ）
印刷　株式会社KADOKAWA
製本　株式会社KADOKAWA

●お問い合わせ
https://www.kadokawa.co.jp/（「お問い合わせ」へお進みください）
※内容によっては、お答えできない場合があります。
※サポートは日本国内のみとさせていただきます。
※Japanese text only

※定価はカバーに表示してあります。

Printed in Japan
ISBN978-4-04-913752-1 C0193

メディアワークス文庫　https://mwbunko.com/

本書に対するご意見、ご感想をお寄せください。

あて先
〒102-8177　東京都千代田区富士見2-13-3
メディアワークス文庫編集部
「川崎七音先生」係